朝日新書
Asahi Shinsho 848

死者と霊性の哲学

ポスト近代を生き抜く仏教と神智学の智慧

末木文美士

朝日新聞出版

はじめに

近代という時代は、希望に満ちた時代だった。科学技術の進展は、自然の神秘を次々と暴き出し、それを人間が活用して人々の幸福は無限に増大していくかのように考えられた。それと同時に、自由と民主主義の勝利は、やがて平和で平等で、あらゆる人が幸福になる社会へと導くに違いないと信じられた。それ故、そこには無限の進歩が期待される。科学の真理探究とリベラルな社会変革は、いずれも合理的な理性の判断に基づくもので、中世的な迷信から解放されることによって達成される。来世を願う宗教ではなく、この現世に立脚した科学技術と社会変革こそが幸福をもたらす。

このような近代的な精神は普遍的にすべての人に通用するものであるが、それを実現したのは、西洋（西ヨーロッパとアメリカ合衆国を含む）だけであった。それ故、非西洋地域は西洋の近代精神を受け入れることによってのみ、その普遍的な近代を共有し、未来へ向かっての進歩という希望を持つことができる。これが、近代化を推進し、正当化する主張であった。

そんな近代の神話を信じている人は、今時一人もいないであろう。近代は終わった。今や間違いなくポスト近代（ポストモダン）の時代に突入している。ポスト近代とはかつて一九八〇年代に華々しく打ち出された商品としての思想に貼られたレッテルであった。しかし、今ではそれは単なる一時の流行ではなく、逃れられない現実として私たちに突き付けられている。

もはや真理探究が幸福をもたらすとは限らず、リベラルな社会変革が理想的な世界をもたらすとは思えない。ポスト真理（真実）、ポストリベラルとして特徴づけられるポスト近代は、ドナルド・トランプに代表される自己優先、自国優先の力の対抗へと向かう。その中で、細々と残った近代のリベラリズムが、わずかに消えそうな過去の理念にしがみついている。それが今日の状況ではないだろうか。万人が幸福になる理想社会など、所詮は甘い夢に過ぎなかったのではないか。こうしてポスト近代はモラルなき力の闘争になだれ込む。自分さえよければ、それでいいではないか。

だが、本当にそれ以外の道はないのであろうか。近代でもポスト近代でもない道。そして、未来へ向けて、本当の希望の原理となり得るような思想。それはただの夢物語に過ぎないのだろうか。本書は、もはや近代が信じられなくなった中で、しかし、ポスト近代にも抗しながら、そのいずれとも異なる第三の道を探ろうとする試みである。それは迷路に似て錯綜し、泥沼に足を取られ、あちこちに頭をぶつけながら、曲がりくねって進んでいく。

迷路の中に沈没しないように、あらかじめ本書の進んでいく大まかな方向を記しておこう。1章でまず、近代の終焉《しゅうえん》とポスト近代の到来という状況を確認した上で、2章では、ひとまず定型的な近代理解と、それを日本でどのように受容したかを振り返る。1、2章は、3章以下の前提となるものであるが、序論的に今日の状況を記したものであるから、不要と思われる方は、3章から読み始めていただいても構わない。

3章から本書の中核的な問題に立ち入る。死者や神仏も他者として関わるものであるから、他者論の枠組みを根幹において議論しなければならない。これは、これまでも著者が主張してきたことだが、以下の論述の基本となるところであるから、ここで改めて検討する。

4章から死者と霊性の問題に入る。4章では、柳田国男《やなぎたくにお》の民俗学から日本人の死者観を考えた上で、ターミナルケアの基礎を作った精神医学者エリザベス・キューブラー＝ロスの思想と体験を手掛かりに、死者や死後の問題から霊性的世界にどのように入り込んでいくかを見ていく。この霊性的世界こそ、じつは近代の根底に流れながら、これまでの近代化論の中で隠蔽《いんぺい》されてきたものである。

近代の中で表面から消された死者と霊性の問題を、十九世紀以来本格的に展開してきたのが、5章で取り上げる神智学《しんち》の系譜であった。神智学は、近代の中にありながら、従来考えられてきた近代の主流の哲学とまったく異なる発想に立ち、哲学・科学・宗教を総合しながら死者と霊性的世界について考察を深めてきた。表層の近代の現世主義的合理主義によって、日陰へと追いやられてきた神智学の叡智《えいち》に改めて目を向けたい。

神智学に関してもう一つ重要なのは、それが西洋の枠に捉われず、東洋の智慧《ちえ》を積極的に取り入れ、インドやスリランカに拠点を置いて、東西融合の新しい思想文化の構築に挑んだことである。それによって、近代は西洋においてのみ形成されたという常識は大きく揺るがされることになるであろう。

6章では、視点を変えて、こうした死者と霊性の問題が、じつは日本の思想においても重要な役割を果たしていたことを取り上げる。その問題は、近世・近代から中世へと遡《さかのぼ》って見直されることになる。もちろん、西洋の中世を取り上げていく道もあるが、西洋中心という枠が外された以上、私たち日本人としては、日本の過去の思想の見直しをしっかり進めることが不可欠である。
5、6章で、思想史、哲学史的に従来隠れていた死者と霊性の問題を確認した。7章では、それを理論的に深めてゆく。霊性論を導入することで、はじめて世界の根源への探究が可能になる。浪費される日常の言葉ではなく、根源に達する言葉とは何か。言葉の種類と性格を慎重に見極めていかなければならない。
7章以下では、仏教、とりわけ日本の仏教がしばしば参照系として論及される。そこには、従来のステレオタイプ化した「仏教哲学」と異なる多様な仏教の可能性が示されるであろう。もっともそれによって、仏教もしくは「東洋哲学」の西洋哲学に対する優越が主張されるわけではない。西洋哲学の唯一性が崩壊した今、さまざまな思想・哲学の多様な見方が開かれている。ここでは、その一つとして仏教、それもごくその一端に焦点を当てていくということである。

7章で到達された根源から、改めてどのように他者との関わりへ、そして公共的な世界へと戻っていけるのであろうか。それが8章以下の課題である。8章では、一見表面的な次元で解決できそうな倫理の問題が、じつは根源に遡って捉えられなければならないことを論ずる。

9章で社会の問題に戻る。未来へ向けての社会の設計は、決して西洋近代の狭い視野でなされるものではないし、それが崩壊した時に、ポスト近代に落ち込むだけしか道がないわけではない。この時こそ、東西の叡智の長い歴史の蓄積が顧みられなければならない。そこにこそ希望の源泉がある。そして、最終章の10章では、それを日本に引き付けて、日本という場でどのような可能性があるかを検討する。

西洋の近代を唯一とするから、その後にはポスト近代しか残らない。本書では、その中に取り込まれない別の形を考えてみる。東西融合の中から生み出される叡智を、日本という場でどのように生かして、未来を希望の時代として生まれ変わらせていくことができるのか。そこに私たちの真の力が問われるのである。

死者と霊性の哲学　目次

図版　鳥元真生

1章

近代は終焉したか?

1　Qアノンとご飯論法

二〇二一年一月六日、ドナルド・トランプ大統領の支持者らによるアメリカ合衆国議事堂襲撃事件は、世界中の人々に衝撃を与えた。当日、連邦議会では、大統領選挙で勝利した民主党のジョー・バイデンを次期大統領として最終的に決定する審議が行なわれていた。しかし、トランプとその支持者たちは、選挙不正があったとして、バイデンの勝利を認めなかった。彼らはホワイトハウス近くの公園で集会を開き、その勢いを借りて議事堂まで行進し、一部の参加者が議事堂に乱入した。その数は約八百人といわれる。やがて警察に鎮圧されるが、乱入直後の彼らの写真や動画には、高揚した解放感と祝祭感が見事に捉えられている。

彼らの行動のベースには、Qアノンと呼ばれる陰謀論があったといわれる。Qを名乗る人物が匿名のインターネット掲示板に書き込んだことに端を発するもので、彼によれば、小児性愛の悪魔崇拝者たちの秘密結社が影の政府（ディープ・ステート）として世界を裏から操り、世界征服を狙っているという。民主党のリベラル派や政府高官、巨大企業、それに大マスコミやハリウッドの成功者たちもすべてこの秘密結社に属しているという。そこで、大規模な選挙不正がなされた。それに対して、トランプは彼らの陰謀を暴き、その絶滅を図るべくたったひとりで闘っている正義の英雄であり、最後にはトランプの勝利に終わるというのである。Qアノンの陰謀論は、ゲームの世界を現実に持ち込み、正義と悪の分かりやすい対抗の図式で支持を集めた。

結局、彼らが期待したような劇的な逆転は起こらなかった。トランプは敗れ、選挙不正の声も消えていった。けれども、それで終わるわけではない。四年後を目指してトランプは巻き返しを図ろうとしているし、Qアノンのような陰謀論もまた、新しい形で生まれ変わって現われるであろう。その陰謀論の全体を信じないまでも、選挙不正が行なわれたという漠然とした疑惑は、共和党支持者の中でかなり広く浸透していた。一度開いてしまったパンドラの箱は慌てて閉じても元に戻らないし、最後に希望が出てくるというほどうまくいくわけではない。形は変わっても、同類の主張はこれから度々繰り返され、強くなっていくであろう。

リベラル派が近代的な人権や平等の観念に立脚して、その拡大を図ろうとするのに対して、Qアノンをはじめとするトランプ派はその理念に疑問符を突き付ける。しばらく前から、アメリカのキリスト教原理主義の勢力拡大が伝えられていた。進化論を否定し、性や人種の多様化に反対して、共和党の強固な地盤となっていた。合理的精神に基づいて科学が進展し、社会的に自由や平等が拡大することで、幸福な社会がもたらされるという近代の理念は、ここで大きな抵抗に遭うことになる。そもそも近代の進展は宗教の領域を狭め、社会の世俗化を推し進めると考えられていたが、逆に宗教勢力の伸張を招き、非合理的な陰謀論が大きな影響を与えるようになったのである。もはや誰も、近代のリベラルな理念がそのままの形で成り立つとは考えないであろう。ポストリベラル、ポスト近代の到来である。

増幅する敵味方の二項対立

近代の理念が失われたことは、それに代わる新しい理念が形成されることを意味しない。むしろ理念なき無政府状態が続いている。そこでは、理念ではなく力こそが頼るべきものとなる。国内的には独裁、対外的には覇権主義的な拡張主義が主流となる。ロシアも中国ももはや労働者が国を作るというかつての理想の仮面をかなぐり捨てて、ひたすら独裁と覇権に邁進する。ブラジル、フィリピンなどに小トランプといわれる独裁型の支配者が誕生した。はたして民主主義がもっとも優れた政治形態であるのかどうか。今はそれさえも不確かで、ポスト民主主義が語られる。

トランプは大統領在任中からさまざまなフェイクニュースを流すとともに、逆に都合の悪い報道をフェイクとして糾弾するという作戦で知られた。Qアノンもそうであるが、フェイクニュースはインターネットを通じて急速に拡散された。根拠のない過激な自説を次々と繰り出し、危なくなると引っ込めることで、世論を誘導していった。ネットという先端技術の産み出した成果を最大限活用しながら、真偽の二項対立という近代の前提を打ち壊して、何が真実で何が正義か分からないポスト真実の状況を作っていった。

そこでは真偽ではなく、敵味方という二項対立が固定化されて増幅する。それは政治哲学者カール・シュミットの予言したとおりであるが、シュミット自身がコミットしたかつてのナチスもまた、最先端のマスメディアを最大限利用して、憎しみの矛先をユダヤ人に集中させることで敵味方構造を先鋭化させた。ナチスはいわばポスト近代の早すぎた先駆であった。それ故に、失敗して短期で終わった。それが今日、巧妙化して拡大し、やがては世界全体の主流となっていくと予想される。

フェイクニュースによるポスト真実は、アメリカ以外にも広く普及したが、日本でそれをもっとも有効に活用したのは、安倍晋三首相（当時）であった。安倍は、一方で戦前回帰の旗を掲げることで伝統的な右翼層を取り込むとともに、他方でネット右翼に熱狂的に支持され、安倍応援団といわれるような新しいタイプの言論人たちのバックアップを受けた。彼らは反合理主義的な陰謀論的発想を愛好し、敵味方構造の構築により、嫌韓・反中のイデオローグとなった。

安倍は、森友学園問題、加計《かけ》学園問題、桜を見る会の問題など、さまざまなスキャンダルから、独特の論法を駆使して逃げ続けた。その論法は、「ご飯論法」と呼ばれる。「ご飯を食べたか」という問いに、「食べない」と答え、さらに追及されると、「食べたのはパンであって、ご飯ではない」と言い逃れるやり口である。それは詭弁《きべん》ではあるが、真偽の二項対立を揺るがせ、一義的な真偽決定の不可能性に活路を見出す点で、やはりポスト近代的な発想である。

安倍とそのグループは、このようなポスト近代的な言説を縦横に振るうことで、真偽、善悪という近代の固定軸を壊し、それと異なる主観的な嗜好に基づく愛嫌の二元論に切り替える。かつての「強い日本」の復活を夢見る旧右派のイデオロギーに、新しいポスト近代をかぶせることで支持のウイングを広げ、まさしく日本型のポスト近代を創り出すことになった。

2　コロナと終末

　本書を執筆している二〇二一年九月現在、新型コロナウイルス感染症（COVID‐19）の蔓延《まんえん》は収まりつつあるものの、依然として予断を許さない。最初に中国の武漢で蔓延が伝えられたのが、二〇一九年十二月で、当初、中国の劣悪な衛生環境の市場から出た地域的なもののように見られていた。研究施設からの流出説もずっとくすぶっている。それが欧米に飛び火し、二〇二〇年二月には日本に寄港したクルーズ船でのクラスターが発生し、引き続いて国内でも蔓延が明らかになった。三月にはWHOによりパンデミックが宣言され、オリンピックの一年延期が決まり、四月には日本でも緊急事態宣言が発令されるに至った。

　しかし、その頃はまだ、どこか他人事《ひとごと》のようなところがあった。政府の対策の遅れは、アベノマスクが揶揄されるなど、笑いのネタになるくらいの余裕があった。当初は半年もすれば何とか落ち着くであろうと期待されていた。カミュの『ペスト』（一九四七）が改めてベストセラーになったのは、一都市が封鎖されるという事態に相似を見たからであった。ところが、やがて一都市どころではなく、世界全体が手の付けられない事態に陥っていることが明らかになった。

一旦は収まったかに見えた流行は、緊急事態宣言解除後のＧｏ Ｔｏ トラベルによる人の移動などに伴ない、再び増加に転じ、夏を越えて、同年冬には爆発的な感染増加に至って、二〇二一年一月には二度目の緊急事態宣言を発出しなければならない事態に陥った。一九一八―二〇年のスペイン風邪のパンデミックとの相似がいわれるが、それをも超えて、先の見通しのつかない中で、見えないものの恐怖に怯《おび》えるという状況に落ち込んだ。その中で「コロナ下の五輪」が、いみじくもＩＯＣ幹部が「パラレル・ワールド」と表現したように、恐怖に怯える世界に囲まれた異質の狂騒的な祝祭空間として、別世界的に進行する奇妙な重層世界が出現することになった。

コロナは従来の価値観を大きく転換させることになった。生身の接触が控えられる中で、インターネットの普及によるバーチャルな人間関係が推進される。「他者」は身体性を失い、画面の中に現われる見せかけの存在に変わる。他者との「絆」は、アプリを消せば消えてしまうはかないものでしかない。世界中で国境を越えた交流が断絶するという前代未聞の事態は、観光、ビジネスはもちろん、研究者にとっても大きな試練となった。しばらく前にはＳＦの中にしかなかった近未来的な状況が、一気に現実のものとなった。

コロナが明らかにした事実

長期化に伴い、「コロナ後」はますます予測がつかなくなってきた。一時的と思われてきた状況がそのまま延長され、それが終わった時に簡単に元に戻るかどうか、何ともいえなくなってきた。経済のＶ字回復など、望むべくもない。その中で、富裕層はますます豊かになり、経済格差は拡大する。株価はバブルといっていいほどに高騰して、現実の景気と乖離《かいり》していく。「コロナ後」は、世界大戦後のような荒廃と無秩序に怯えなければならない。その中で、新しい秩序と目標を立ち上げることができるだろうか。

その一方で、ワクチンの開発は予想以上に速いペースで進み、実用化された。それは科学の輝かしい成果として特記される。しかし、実用を急いだあまりの問題は今後顕在化する可能性がないわけではない。富裕国による買い占めによるワクチン格差、中国やロシアのワクチン外交の攻勢など、大国による世界勢力地図の塗り替えにまで及ぶ。ウイルスの側もどんどん進化し、変容して、ワクチンが効かない変異株の出現もいわれる。

日本でワクチン接種が遅れ、自前ワクチンの生産も順調にいかなかったことも、大きな問題を提起することになった。ウイルス対策はしばしば軍事科学と密接に関係するから、その遅れはやむを得ないところもあるであろう。しかし、それだけでなく、しばらく前から科学予算の削減が続き、基礎研究が弱体化していることが指摘されている。経済優先の政策は、文教予算にしわ寄せが生ずるとともに、政治優位の体制は、日本学術会議人事への介入に見られるように、科学への不信と軽視を招いている。そのことは、おそらく今後に大きな影響を残していくであろう。

コロナが明らかにしたのは、日本がもはや世界の「大国」として虚勢を張ることが不可能になったという事実である。世界をリードする大国（あるいは「超大国」）は、アメリカ、中国、ロシアであり、それにインドを加えてもよいであろう。西欧はEUからイギリスが脱退することで弱体化し、また、統一体の力は弱まりつつある。経済力だけでなく、文化力、ジェンダー力などを総合するならば、日本は西欧諸国よりも一段と劣り、その次のレベルと考えるのがよさそうだ。だからがんばれ、というのではなく、それ相応のところで地力をつけて、経済力優先を反省してもよいのではないかということである。

仏教が展開する四劫説

かつてのスペイン風邪の流行を振り返ると、そもそもその発端は第一次世界大戦中のアメリカ軍でのクラスターが外に広がったためといわれ、戦争と密接に関係していた。大戦末期にはロシア革命（一九一七）が起こって欧米諸国に衝撃を与えた。戦後は莫大な賠償金を抱えた敗戦国ドイツなどを中心に社会と国際関係の不安定が続き、かつてない世界大恐慌（一九二九―三三）に至る。イタリアではいち早くムッソリーニのファシスト党がローマ進軍によって独裁への足掛かりを得（一九二二）、ドイツではナチスが政権を握ることになった（一九三三）。そうした動向が、直ちにスペイン風邪に由来するわけではないが、パンデミックはそれだけ単独の問題ではなく、政治・経済・国際関係など複雑に絡み、それが世界的に危機的な展開へとなだれ込む可能性は十分にあり得る。

感染症は、もちろん感染者個人の生命の危機を招くものであるが、パンデミックとなると、人類全体の問題に関わってくる。個人の場合で考えても、それが直ちに生命を奪わないとしても、後遺症を含めて、体力を弱める。また、慢性疾患のある場合に、危険は大きくなる。それは人類全体の場合も同じである。コロナだけで直ちに人類の危機とはいえなくても、それが他の要素と複合されれば、人類全体の存続と関わる事態も想定される。世界終末時計は、第二次世界大戦後、核兵器に危機感を持った科学者たちによって考案されたが、コロナのパンデミックの中で、これまで最短の百秒前にまで至っている。

今日、世界終末時計が針を進め、人類の危機を告げているのは、新型コロナウイルスの問題だけではなく、こうした複合的な状況を反映している。最大の問題は地球環境の悪化である。プラスチックごみによる海中汚染も無視できないが、何といっても地球温暖化が最大の問題である。夏の高温化は人の耐えられる範囲を超え、台風やハリケーンの激甚化など、自然が牙を剝《む》くようになってきた。インドで氷河が崩壊して大水害が起こったり、アメリカでは海面上昇によって森林地帯に塩水が入り込んで、樹木が枯れてゴーストフォレストになったりするなどの現象も伝えられる。温暖化はウイルスの活動にも関係する。もともと人間の生活域から離れたところにいるはずのウイルスが、環境の変化で宿主の動物とともに人間の生活圏に近づいてきたという。

温暖化対策として重要なのは二酸化炭素排出量の削減であるが、日本ではその目標達成のために、原子力発電に頼ろうとしている。だが、今度は、事故の危険とともに、使用済み核燃料の処理の問題が付きまとう。その再利用による消費は、今日ほとんど見通しがつかなくなっている。そうしたさまざまな問題を考える時、世界終末時計がどんどん最後に近づいているのは、決して危機の誇張ではない。

確かに個人の生命に限界があって、必ず死が訪れるのと同じように、人類が永遠に続くことも絶対にあり得ない。さらにいえば、地球や太陽系もまたいつかは消滅するであろう。もちろんそんなはるか先のことをいっても仕方ないが、しかし、仏教ではこの世界全体の消滅をも視野に収めた理論を展開している。それが四劫《しこう》説である。即ち、この世界は成《じょう》・住《じゅう》・壊《え》・空《くう》の四つの状態を繰り返すという。それぞれは二十劫（劫は長い時間の単位）からなる。現在は住劫であるが、住劫は同じ状態が続くわけではなく、減劫と増劫を二十回繰り返す。減劫は人間の寿命が八万歳から百年に一歳ずつ減って十歳までになり、そこから増劫になり寿命が八万歳まで延びる。減劫の終わりには、小の三災（刀兵・疾疫・飢饉）が起こり、壊劫《えこう》には大の三災（火災・水災・風災）が起こるという。一見おとぎ話のようだが、今日の状況を考えると、それはきわめて切実な現実の問題を提示しているように思われる。

3　近代の後へ

近代の終わりは突然やってきたわけではない。すでに一九八〇年代頃から次第に表面化しつつあった。もっとも、さらに遡れば、二十世紀の前半、一九三〇―四〇年代にも「近代の超克」が大きな問題とされていたし、もっと遡れば、十九世紀のニーチェやマルクスに近代を超える動きを見ることもできるであろう。それらの問題は後ほど考えていく。そのような過去の幾度かのポスト近代の波が最終的に行きついて、もはや後戻りのできないところまで到達した時点が、一九八〇年代である。それはその後浸透していくとともに、近代に代わる新しい世界観が作られないままに、今日に至っている。その意味で、一九八〇年代は決定的な画期となる大きな歴史の転換点である。

このことは、世界的にもいえるが、とりあえず日本の中で見ることにしよう。苅谷剛彦『追いついた近代 消えた近代』（二〇一九）によれば、日本の近代は西欧をモデルとした「追いつき型」の近代であり、その目標が一九八〇年代に達成されるとともに、「近代」という問題そのものが消失したという。苅谷はその点を証するのに、一九八〇年に刊行された、大平正芳首相のもとでの政策研究会の第七報告書『文化の時代の経済運営』（内閣官房）を挙げる。そこでは、近代日本の達成がこう総括されている。

日本は、明治維新以来、欧米先進諸国に一日も早く追いつくために、近代化、産業化、欧米化を積極的に推進してきた。その結果、日本は、成熟した高度産業社会を迎え、人々は、世界に誇りうる自由と平等、進歩と繁栄、経済的豊かさと便利さ、高い教育と福祉の水準、発達した科学技術を享受するに至った。（同、一二頁）

あたかも日本に理想社会が実現されたかのような手放しの賛美であるが、はたして日本人はそれで本当に幸福になったのだろうか。物質的条件は整ったから、これから本当の日本独自の文化の時代だといわれながら、その後四十年を経て、多少とも進展があっただろうか。とてもそうはいえないであろう。

輸入する思想さえなくなった

一九八〇年代は、あたかも言論の世界では「ポストモダン」が流行していた。その前の一九六〇年代終わりには、既成の左翼運動の行き詰まりから新左翼の活動家が活発化して、全共闘の運動と連動した。しかし、七〇年代には全共闘の挫折から、新左翼の運動は過激化して、支持を失った。その後の八〇年代には、経済的にも実体的には行き詰まりながらも、次第に狂騒的なバブルに沸き立つ状況となっていた。それに対応するかのように、空白状況となった思想界もまた、ニューアカデミズムとポストモダンの流行によって、思想までもが消費財として提供され、消費されて消えていく情勢となった。その中でフランスの流行思想が紹介されたが、それが尽きると、それこそ「追いつき型」の日本にとって、輸入する思想さえもなくなって、お手上げ状態となった。大平研究会もまた、自前の文化の必要を説きながら、それが実現されることなく、その後の「失われた時代」へと突入することになった。

近代の終焉を世界的に決定づけたのが、一九八九年のベルリンの壁の崩壊と、それに続く九一年のソビエト連邦の消滅をきっかけとする東側共産圏諸国の総崩れであった。マルクス主義は、近代的な民主主義とは対立し、ブルジョア民主主義＝資本主義の後に来るプロレタリア独裁の社会主義体制と位置づけられていた。その点では、ポスト近代を目指すものであったが、その根底に科学主義に立つ唯物論を置き、また、平等という近代の理念を目指す点では、近代の延長上、あるいはむしろ近代世界の徹底を進めるものであった。

第二次世界大戦後の世界秩序を作ってきたのは、東西がブロックとして対立する冷戦構造だった。確かに核兵器を所持して対立することはきわめて危険であり、キューバ危機（一九六二）のような危機一髪の状況も生じた。しかし、相互にブロックとして対抗することで、朝鮮戦争やベトナム戦争、パレスチナ紛争のような地域的な戦闘はあっても、それが拡大することなく、互いに牽制することでバランスが保たれ、緊張感を持ちながら相対的に持続的な安定構造を作ってきた。

理念なき覇権主義の跋扈

冷戦構造の崩壊は、最初は資本主義＝民主主義の勝利として、それを歓迎する向きが多かった。対立がなくなることで、平和が訪れるのではないか、という幻想さえ懐《いだ》かれた。「歴史の終わり」（フランシス・フクヤマ）というフレーズがもてはやされ、すべての国際問題は解決したかのようにさえ思われた。しかし、そのような甘い身勝手な期待が満たされることはなかった。東西の二項対立に代わって、一気に各地に紛争が噴出して、収拾がつかなくなった。

すでに、一九九〇年には湾岸戦争が起こり、翌年には多国籍軍によるイラクに対する空爆がなされて、その後のIS（イスラーム国）の創建などに続く中東の危機が始まった。その中で、二〇〇一年にはアメリカで九・一一同時多発テロが勃発した。近代文明の象徴ともいえるニューヨークの超高層ビルが崩壊して、一般市民に大量の死者が出た様子は、そのままテレビなどで伝えられ、世界中に大きな衝撃を与えた。もはや近代の論理ではどうしようもない事態が生じたのである。その後のアメリカによる報復攻撃は、何の解決ももたらさず、混迷を深めることになった。一時、ハンチントンの主唱した「文明の衝突」の理論が未来を予見するものとして、広く用いられた。それは、今後の世界情勢をいくつかの文明圏同士の争いとして描いたものである。しかし、今日の状況は、「文明圏」などとも関係なく、理念なき大国の覇権主義の力と力の衝突となっている。

このように、理念の欠落は、ポスト近代の大きな特徴である。冷戦時代のソ連を中心とした東側諸国は、マルクス主義という共通の理念に支えられていた。マルクス主義の唯物史観は科学的歴史観を標榜《ひょうぼう》し、歴史学・経済学・政治学などの社会科学もまた、自然科学と同じように厳密な科学たり得るとした。その必然的な歴史法則に従って、近代の資本主義は社会主義に移行せざるを得ないというのである。この理論性ゆえに、マルクス主義は東側諸国だけでなく、欧米や日本の資本主義国にもかなりの信奉者を得、学術界においても相当の勢力を持つことになった。古代奴隷制から中世封建制へ、そして近代資本制へという歴史の進歩に関する理論は、マルクス主義を取らない研究者の間でも、漠然とした常識とされた。経済学においても、マルクス主義経済学は近代経済学と対抗する勢力を持っていた。

このように、マルクス主義国家は、それなりに確立した科学や思想に基づく国家建設を目指していたのであり、そこに未来への希望が託された。それ故、その挫折はそうした理論と希望を壊滅させるものであった。それは、単純に西側の理論が正しかったということにはならない。そもそも西側の理論もまた、マルクス主義を一方に置くことで、それに対置される理論の構築を目指したのであり、近代の合理主義理論の修正によって対抗しようとした。その点で、東西の対立は単に力と力の対立ではなく、理念の対立であり、思想の対立であった。その理論装備を持っていたはずのマルクス主義国家群の解体は、理念や思想の無力を明らかにすることになった。そのことは同時に、未来へ向けての希望の喪失ということでもあった。こうして、理念なき覇権主義の跋扈《ばっこ》は止め得ないことになった。

このような世界情勢は日本国内にも直ちに反映された。戦後日本の政治体制は長い間、五十五年体制のもとに展開してきた。日本民主党と自由党が合同した自由民主党が政権を取り、それに対して日本社会党が野党第一党として対峙《たいじ》するという構図であった。この分かりやすい対立図式は、一九九〇年代に入ると、冷戦の終結を受け、あわせてバブルが崩壊していよいよ行き詰まり、一九九三年には細川護熙《もりひろ》による連立政権が成立して、二党対立の体制は崩壊することになった。一九九九年以後は、一時期の民主党政権時代があるものの、基本的には自由民主党と公明党の連立政権によって、ひとまず落ち着いている。とりわけ安倍晋三による長期政権は、前述のように、日本型の新しいポスト近代の政治のあり方を作ることになった。

一九九〇年代以後、日本社会もさまざまな事件や災害で大きく揺れ動くことになった。一九九五年には、戦後最大の阪神・淡路大震災により多数の死者が出た。同年のオウム真理教・地下鉄サリン事件は、前例のない宗教教団によるテロ事件で、無辜《むこ》の市民が巻き添えとなって殺された。アメリカの九・一一のテロとあわせて、第二次世界大戦後、ほとんど影を潜めていた死と死者という問題が、否応なく目の前に突き付けられる事態となった。

それにとどめを刺すかのように、二〇一一年には東日本大震災が起こり、地震のみならず、津波によって広範な地域に膨大な死者が生まれることになった。津波は東京電力福島第一原子力発電所の大事故を引き起こし、前代未聞の広域の放射能汚染に見舞われた。それは十年を経てもいまだに解決しないさまざまな問題を抱えることになった。近代の中で、もっとも花形とされ、夢のエネルギーとされた原子力は、人間の制御の及ばない牙を剝くことになり、ここに近代の進歩の理念はほぼ完全に崩壊した。コロナ・パンデミックは、こうした近代の終焉に最後の一撃を与えるものだったのである。

2章
普遍か、特殊か

1　近代の普遍性要求

そもそも近代とは何なのか。あるいは、近代化とは何なのか。近代というのは、もっとも単純には、単なる時代区分に過ぎない。古代・中世に対して、もっと今日に近い時代を指す。最近の日本史学では、明治維新以後を近代、第二次世界大戦敗戦以後を現代と区別することも行なわれている。けれども、時代区分はまったく価値中立的に機械的になされるものではない。そこには、グローバルな現象として、世界中が共通して積極的に推進していくある共通の価値観が前提とされている。それが近代化である。時代区分的には近代になっても、その内実が伴わなければ、近代化された社会とはいえない。「近代化」は、「近代」になってから本格的に始まる。

中国語では、近代は「現代」と呼ばれ、近代化は「現代化」と呼ばれるので、紛らわしいが、通常、アヘン戦争（一八四〇—四二）以後が「現代」とされる。しかし、「現代」イコール「現代化」ではない。むしろ「現代」になってから、「現代化」が要求されるのであり、「現代化」は今日においてもなお中国の課題となっている。

そんなわけで、時代区分としての「近代」の中で、社会が「近代化」してはじめて本当の「近代」になるという展開になっている。1章に述べたように、日本の近代は「追いつき型」であり、何に追いつくのかというと、その目標とされたのが近代の欧米諸国であった。目標はきわめて明白である。欧米の近代を模倣し、それに少しでも近づき、同等になるということが目指されたのである。そこでは、欧米の近代は唯一の普遍的な価値を持つものとして、「近代化」は「欧米化」とイコールで考えられた。「脱亜入欧」といわれるように、遅れたアジアと一緒になることを拒否して、アジアの唯一の近代国家として、欧米だけを目の中に入れ、一緒になって植民地主義にも走り、ともかく真似られるだけ真似をしてきたのである。

常識化された西洋近代観

もっとも、それは日本だけのことではない。中国でもそうであり、基本的にはその他の地域でもそうだった。「基本的には」というのは、中東のイスラーム圏のように、欧米型の近代を拒否しようという方向を取る場合もあるからである。また、ロシアのように、ソ連時代に社会主義という異なる道を取り、その後も欧米型とは一線を画した道を進む場合もある。というよりも、今日、欧米化が唯一の近代化の道だったのか、ということには疑問符が付されるようになっている。中国も一度はその近代化に乗り遅れたようだったが、共産革命を経て、今日では異なる道を辿った近代化を強力に推進している。

そんなわけで、欧米模倣型が近代化の唯一の道ではないが、少なくともその基本的なモデルであり、その中で形成された価値観のあるものはなお普遍性を要求しているのも事実である。それ故、欧米の近代がどのように形成され、その中の何が普遍性を要求するのか、見ておく必要がある。

ここで、これまで常識として通用してきた西欧（当初はアメリカは入っていない）の近代化への道を教科書的に振り返っておこう。それはルネサンスと宗教改革に始まるとされる。ルネサンスによって表明された人間中心主義は、宗教改革によって、宗教の世界でもこれまでの唯一のカトリックの支配を脱し、人間の側の信仰が神と結びつくことを可能とした。

こうした準備過程を終えて、十七世紀のピューリタン革命を経てイギリスの議会制民主主義が確立され、さらに十八世紀に至ると、アメリカ独立戦争（一七七五―八三）、フランス革命（一七八九）によって、高らかに近代の理想が宣言されることになった。アメリカの独立宣言（一七七六）前文は、それをこう表現した。

われわれは、以下の事実を自明のことと信じる。すなわち、すべての人間は生まれながらにして平等であり、その創造主によって、生命、自由、および幸福の追求を含む不可侵の権利を与えられているということ。こうした権利を確保するために、人々の間に政府が樹立され、政府は統治される者の合意に基づいて正当な権力を得る。
（AMERICAN CENTER JAPANのウェブサイトの訳文）

ここには、すべての人間の平等と生命・自由・幸福を求める権利が、「自明のこと」として承認されている。そして、政府は人民の合意がなければ成り立たない。それが民主主義の原則である。その自明性の根拠として、「創造主」が持ち出される。もともとメイフラワー号による清教徒の植民に始まるアメリカの社会は、プロテスタントの信仰を根底としているので、その根拠は神に求められる。

それに対して、フランス革命はもっと過激であった。聖職者を第一身分、貴族を第二身分として特権を認めていたアンシャン・レジームの打倒を目指した革命は、カトリック教会や聖職者に対して強い反感を抱いていた。革命の指導者たちは理性に基づく啓蒙主義の哲学を信奉し、キリスト教の廃絶を目指した。革命後、一七九三年にはノートルダム寺院を大改造して理性の祭壇を築き、啓蒙主義の哲学者たちを祀《まつ》り、若い女優が理性の女神に扮した理性の祭典が大々的に行なわれた。その無神論的でアナーキーな祭典に対して、独裁権力を確立したロベスピエールは、一七九四年にはこの理性崇拝に代えて、「最高存在(至高存在)」の崇拝を行なった。「最高存在」はキリスト教の神ではなく、叡知に基づく存在であり、新しい儀礼の創造であった。もっとも同年にロベスピエールが失脚することで、新しい宗教形態も短期で消滅することになった。

カント、ヘーゲル、マルクスへ

一七八九年のフランス革命直後に発せられた人権宣言は、前文に「国民議会は、最高存在の前に、かつ、その庇護のもとに、人および市民の以下の諸権利を承認し、宣言する」と述べ、「最高存在」を前提としながら、「人は、自由、かつ、権利において平等なものとして生まれ、生存する。社会的差別は、共同の利益に基づくものでなければ、設けられない」(樋口陽一・吉田善明編『改訂版 解説 世界憲法集』、一九九一)と、自由と平等を中核の理念として掲げている。その理念が「自由、平等、博愛」として、今日に至るフランス国家の理想を表わす標語として確立されていく。

こうして自由や平等が普遍的な理念として生まれてくる。それは宗教性を帯びながらも、伝統的なキリスト教の枠をはみ出し、理性によって認められる「最高存在」に保証が求められる。そこでは、理性への信頼と、その理性を覚醒させて全面的に適用していく啓蒙の活動が人類に幸福をもたらすものと考えられるようになった。その高揚期に書かれたカントの『啓蒙とは何か』（一七八四）は、「啓蒙とは、人間が自分の未成年状態から抜けでることである」と端的に定義を与えている。野蛮な子供状態を脱して、理性を働かせることのできる大人になること、それが啓蒙である。

もっともカントは単純な理性信仰に対して、冷静にストップをかける。理性自身によって理性の限界を確定しようとしたのが『純粋理性批判』（一七八一）だった。しかし、その後もヘーゲルによって、理性はこの世界を動かす根本原理たる絶対精神にまで高められる。啓蒙によって野蛮な社会から理性的な文明へという道筋は、歴史の進歩という新たな観念を生み出した。その発展史観は、マルクスにも受け継がれる。

十九世紀は、こうした極端な理性主義が次第に定着し、自然科学は神に依存しない合理的な思考に基づいて独立した領域として発展するようになり、さらに技術と結びついて強大な力を発揮していく。十八世紀後半に始まった産業革命は、まさしく「知は力なり」というベーコンの宣言を実証するかのように、次々と大きな成果を生み出していく。科学的合理性は、単なる机上の空論ではなく、現実を動かす強力な力となる。とりわけ蒸気機関の応用は、従来とまったく異なる工場生産の道を開き、飛躍的な生産性を発揮することになった。それだけでなく、蒸気機関車や蒸気船のように新しい交通手段を生み、大量の人間や物資を短い時間で運搬することによって、一気に空間的距離を縮めることにもなった。

生産量と生産関係の大きな変化は、階級分化を招き、貧富の差を大きくして、社会主義の運動が盛んになった。中でも、科学的社会主義を標榜するマルクスらの運動は、『共産党宣言』（一八四八）などによって勢力を増した。彼らはプロレタリアートによる暴力革命を歴史の必然性を持つものとして説き、二十世紀にもさらに大きな力となってロシア革命（一九一七）を引き起こすことになった。

それと同時に、産業革命による生産力の増大化は、原料調達地としての植民地の役割を大きくし、近代は欧米の枠を超えて全世界へと拡張していくことになった。欧米と他地域とはグローバルにつながりながら、はっきりと格差が生じてくる。いわゆる「大分岐」の時代である。日本近海に欧米諸国の船が次々と出没し、ついにペリーの率いる黒船が一八五三年に浦賀沖にやってきて、日米和親条約締結を強要したのは、このような時代であった。まさしく知が強力な力として圧力をかけてくる中で、東洋もまた否応なく近代へと向かわなければならなくなった。

唯物論を伸張させた科学の進展

十九世紀にもう一つ大きな衝撃を与えたのは、ダーウィンが『種の起源』（一八五九）で提示した進化論であった。それは、あらゆる生物の種が神によって創造されたとする従来のキリスト教の観念を打ち砕いた。人間さえも生物進化の結果生じたものとして、人間と他の生物との絶対的な差異はなくなってしまった。進化論は、もともとの自然科学理論からも逸脱して、社会進化論へと広がった。それは、歴史の進歩という思想を発展させたが、やがて適者生存から弱肉強食の社会を合理化する方向へと進むことになった。

こうして科学の進展は、次第に伝統的なキリスト教の信仰への疑いを生じさせるようになった。その結果、フォイエルバッハからマルクスなどの唯物論が伸張するようになった。キリスト教神学においても、イエスを人間として描き出したルナンの『イエス伝』（一八六三）が大きな衝撃を与えることになった。

以上、きわめて図式的に欧米の近代の展開をスケッチした。即ち、(1)理性に基づく合理的思考が発展し、それがそれまでのキリスト教の世界観に疑義を抱かせ、(2)科学技術の発展が社会をも大きく変えるとともに、(3)自由や平等の観念が普遍性を持つものとして提示される時代であった。そして、「大分岐」を経て、欧米が他地域を圧倒していく時代であり、その欧米の思想や科学が普遍性を持つものとして他地域をも大きく変えていくことになった。

じつをいうと、このような常識化された近代観に対して、もう少し異なる面があるのではないか、ということを本書では次第に明らかにしていくことになる。しかし、ここではそこまで立ち入らず、このような欧米の近代を日本がどのように受け入れ、どのように対応したかという点を見ておくことにしたい。

2　普遍主義の受容

幕末の日本は、開国か攘夷かで大きく揺れ動いた。尊王攘夷の運動が高まって幕府を倒して新政府ができるが、攘夷が通用するはずもなかった。すでに幕府が開国を決めて以後、福沢諭吉らは咸臨丸《かんりんまる》で渡米して（一八六〇）、先進文明に触れて感銘を受けていた。維新以後、岩倉使節団はアメリカ、そして西欧諸国を歴訪し（一八七一―七三）、同行した伊藤博文らは、日本もその近代文明に追いつかなければならないことを痛感した。

啓蒙主義を掲げる最初の結社明六社《めいろく》（一八七三―七五）に拠った若い知識人たちは、盛んに欧米の新しい文化や思想を紹介し、日本に根付かせようとした。こうして「追いつき型」の日本の近代が始まる。だが、日本の場合、近代化を急いだのは何よりも国家政府が主軸となり、民間の活動に対しては厳しく取り締まった。自由民権運動は弾圧によってつぶされ、自由や平等を求める運動は、起こるやいなや弾圧の対象となり、定着できなかった。その中で、政府は当初の全面的な欧米化の方針から、次第に日本の特殊性を打ち出しながら、欧米の文化を受容するという方向に転じていく。それについては、次節で考えてみたい。

ここでは、欧米の近代を全面的に受け入れて、普遍主義を明確に打ち出した第二次世界大戦後の思想を見てみることにしたい。

「国民主権」を述べる条項がない

そもそも国政は、国民の厳粛な信託によるものであつて、その権威は国民に由来し、その権力は国民の代表者がこれを行使し、その福利は国民がこれを享受する。これは人類普遍の原理であり、この憲法は、かかる原理に基くものである。われらは、これに反する一切の憲法、法令及び詔勅を排除する。（傍点引用者、以下同）

日本国憲法というと、ともすれば第九条だけが突出して問題にされる。しかし、すでに見た独立宣言でも、人権宣言でも、その理念は前文に記される。それ故、日本国憲法もまた、その前文をまず見なければならない。ところが、この前文が分かりにくい。ここに引いたのは第二―四文である。第一文は、主権在民ということをいいたいのだが、盛りだくさんすぎる。次の第二文もその繰り返しで、リンカーンの「人民の、人民による、人民のための政治」を思わせる。ここで注目したいのは、それが「人類普遍の原理」といわれていることだ。反論を許さない、頭ごなしの決めゼリフのようで、なぜそんなに力まなければならないのかとも思われる。

これほど主権在民を強調しながら、不思議なことに、条文の中にそのことを述べる条項がない。憲法本文は、「天皇は、日本国の象徴であり日本国民統合の象徴であつて、この地位は、主権の存する日本国民の総意に基く」という第一条から第八条までが天皇条項で、その中にいきなり「主権の存する日本国民」と出てくるだけである。前文が憲法の理念を述べたものだとすれば、そこからなぜ天皇条項が第一条に出なければならないのか、何とも不思議だ。いかにも米軍と日本側の綱引きの中の妥協でできたことがよく分かる。条文の中に「国民主権」が明確に出せなかったので、前文で強調しなければならなかったのではないか、とも勘ぐられる。

明治以来の西洋文化摂取

前文には、もう一箇所「普遍的」という言葉が出てくる。「日本国民は、恒久の平和を念願し、人間相互の関係を支配する崇高な理想を深く自覚するのであつて、平和を愛する諸国民の公正と信義に信頼して、われらの安全と生存を保持しようと決意した」云々と続いた後で、こういわれる。

われらは、いづれの国家も、自国のことのみに専念して他国を無視してはならないのであつて、政治道徳の法則は、普遍的なものであり、この法則に従ふことは、自国の主権を維持し、他国と対等関係に立たうとする各国の責務であると信ずる。

先の国民主権のほうが自国内のことなので、いきなり「人類普遍」といわれても分かりにくいが、こちらは国際関係であるから相互的であり、「普遍的」であることが、それなりの必然性を持っている。自国だけが平和主義を採っても、他国が軍事的に侵略してくれば、平和主義は成り立たなくなる。それ故、そこには、「平和を愛する諸国民の公正と信義」が信頼されることが条件とならなければならない。

前文のこの箇所は、明らかに第九条の平和条項につながるものであり、第九条が成り立つ前提を示しているということができる。こちらが戦争を放棄するのであれば、他国もまた放棄するのでなければならない。だが、現実はどうなのか。今日はもちろん、当時でさえ、それはとても実現不可能な理想論ではなかったか。だが、第九条がたとえ日本を骨抜きにするための画策であったとしても、その根拠としてこの前文の理想があったことは確認しておく必要がある。

このあまりに現実離れした理想主義の源泉の一つが、カントの『永遠平和のために』（一七九五）にあることは間違いないであろう。だが、それだけかどうか、それについては後ほど改めて考えてみたい。ここでは、おそらく当時、どさくさ紛れにこのような「普遍」もまた、欧米化＝近代化の流れの中で、それとひとまとまりのものとして受け取られたのではないか、という点に注意したい。欧米化＝近代化＝普遍という図式になる。

その点を知るために、苅谷剛彦が挙げている文部省『新教育指針』（一九四六—四七）を見てみよう。本書は占領下で、米軍の指示のもとに策定された教育方針であるが、それだけに戦後日本の基本的な方向が知られる。

明治維新以来の日本は、西洋文化を急いで取りいれ、それによつて近代化した。けれどもそれは主として西洋文化の物質方面、もしくは外がはの形式を学んだのであつて、その根本の精神、またはその中にある実質はまだ十分に取りいれてゐないのである。……このやうに日本の近代化は中途半端であり、……それにもかかはらず、すでに西洋文化と同じ高さに達したと思ひこみ、それどころか、精神方面においては、東洋人

の精神、とくに日本人の精神の方がすぐれてゐると思ふ人々すらあつた。（同書、四頁）

明治以来の西洋文化摂取は、外側の形式だけ学んだのであって、その根本の精神を受け入れていない。精神面では日本人のほうが優れていると思い込んで、そのような人たちが指導したことで戦争に突き進むことになった。それだから、今や「西洋文化をその根本から実質的に十分取りいれ、それを自分のものとして生かすやうにつとめなくてはならない」（同、四頁）というのである。

このような露骨な西洋優越論はいかにも無理そうではあるが、その具体的内容には、確かにかつての軍国主義時代への反省として納得できると同時に、自国に閉鎖されない普遍の立場に立つべきだという主張もそれなりに納得できるところがある。即ち、「人間性・人格・個性を尊重することが欠けてゐた」（同、六頁）とか、あるいは「日本国民は合理的精神にとぼしく科学的水準が低い」（同、七頁）などの点が指摘されている。そこには、個人の人格の尊重や、科学的合理性という欧米近代の発想に普遍性を見ているのであり、このような近代観は今日に至るまで、ある程度常識化して通用してきた。もっともそれによって、理想的な社会が築かれるというような楽観論は、今日もはや成り立たなくなっているが。

呪術や祈禱からの脱却

西洋近代＝普遍性の立場は、戦後啓蒙ともいわれる知識人たちの活動によって大きく展開される。その代表的な論者であった大塚久雄は、マックス・ウェーバーの理論を用いて英国近代の経済の形成を理想化して論じ、それをモデルとして日本の近代化を考えた。ウェーバーの『プロテスタンティズムの倫理と資本主義の精神』（一九〇五）によれば、カルヴァン派では予定救済説という特異な説を立て、救済される人はあらかじめ決まっているという。ところが、誰が救済されるかは分からないために、信者は自分が救済されるという確信を得ようとして、禁欲的な労働に積極的に従事する。そのために利潤が上がるが、それを遊楽に使わず、資金に回すので、ますます事業が発展する。このような宗教的倫理がもとになって西欧独自の近代資本主義の精神が形成されたという。

ウェーバーの理論によれば、カルヴァン派というきわめて特殊なキリスト教の宗派の教義が欧米の近代資本主義のもとになっていたというのであり、それこそ欧米だけの特殊現象ということになり、普遍性を要求できなくなる。また、その教義自体は必然性を持つものではないから、そうなると欧米型の資本主義もまた、きわめて偶然の産物ということになってしまう。

それ故、それをそのまま日本の場合に適用することはできないから、大塚の『近代化の人間的基礎』(一九四八)では、いわばそれを薄めることで、普遍性を持たせて、日本への適用を考えた。それは、禁欲的な倫理の確立という点にポイントを置き、魔術(呪術)からの解放による合理的精神とセットにすることで、日本でも欧米的な近代を創り出すことができると考えた。魔術からの解放というのは、呪術や祈禱のような迷信的で非合理な発想を脱却することである。その立場からすれば、奇蹟を認めるカトリックは前近代的であり、信仰によってのみ義とされるプロテスタンティズムこそが近代にふさわしい宗教ということになる。

だが、そもそもはたして欧米の資本主義がそれほど倫理的だったのかどうか疑問である。また、近代になって魔術から解放されたというのも、確かに表向きはそう見えるかもしれないが、じつはむしろ近代になって呪術的なオカルトが盛んになるのである。この点は後ほど考えてみたい。

ウェーバー主義は、近代の資本主義を擁護する側に立つが、それに対してマルクス主義もまた、普遍性を主張する思想であった。マルクス主義は、もともとはマルクス＝エンゲルスに発するが、レーニンの指導下にロシア革命が成功し、さらにその革命は普遍的な原理に基づいて、世界的に広がるものと考えられた。そのための組織として、ロシア共産党の指導下に、モスクワにコミンテルンが結成され、世界の共産主義者の結集が図られた（一九一九）。しかし、その後続はなく、一九二四年のレーニンの没後、世界革命を説くトロツキーが追放され、スターリンの一国社会主義論が支配することになった。一九四三年まで継続したコミンテルンは、ソ連の擁護機関となったが、日本などのマルクス主義者にとっては大きな権威であり続けた。マルクス主義は、唯物史観によって、普遍的な歴史発展の法則を主張するために、歴史をはじめとする社会科学の発展上、大きな影響を与えた。

3　日本という特殊性

こうして欧米近代を普遍性を持つものとして摂取する立場に対して、初期の欧化政策の失敗後、第二次世界大戦までの日本は、日本の独自性、特殊性を主張しながら、その範囲で欧米の文化を摂取し、近代化を進めるという道を採った。大日本帝国憲法（明治憲法）の第一条は「大日本帝国ハ万世一系ノ天皇之ヲ統治ス」と規定され、第三条では「天皇ハ神聖ニシテ侵スヘカラス」とその神聖性が明確化された。

もっとも皇帝の神聖性は必ずしも珍しいことではない。キリスト教圏の皇帝は神によって承認されることで、皇帝としての正統性を承認された。中国でも、皇帝は天によって承認されることが必要であり、その徳が失われると、天から見放されて王朝が滅び、他の王朝に代わることになる。いわゆる易姓革命である。

それに対して、「万世一系」は、天皇がアマテラス神の子孫として、一貫して統治してきたということを主張するもので、他の国の皇帝が神と断絶しているのに対して、日本では神から連続していることを根拠としている。もっとも神の子孫ということだけならば、主要な貴族はすべて祖先神を持っていて、天皇家だけ特別ということにはならない。藤原氏のように、天皇家と同じくらい古くから続いてきた貴族（公家）の家柄もある。

それ故、近世までであれば、天皇はこのような公家集団の中のトップという位置にあり、天皇家だけが「万世一系」として、他の公家と断絶した存在ではなかった。ところが、明治憲法の規定は、「万世一系」を天皇のみに認めて、「一君万民」として、「臣民」との間に決定的な断絶を作った。そして、神道を再編し、天皇家の祖先神アマテラスを祀る伊勢神宮を別格として、すべての神社がそれに服従する体制を作った。

「国体」に関する議論

明治憲法制定の中心となった伊藤博文は、ドイツに留学して西欧諸国の精神的基盤としてキリスト教があることに衝撃を受け、それに対して、絶対神を有しない日本では、天皇を核とすることで国家の安定を図るのがよいと考えたという。このように、天皇を神に由来する絶対的な統治者として仰ぐ日本の体制を「国体」という。もっとも、もともとは「国体」というのは、それぞれの国の国家体制を意味していたが、それが次第に他国と異なる日本独自の国家体制を意味するようになっていった。

こうして、日本は近代欧米の普遍的文化を受容するのに、日本の特殊性というフィルターをかけることになった。天皇国家という「国体」に関する議論は、昭和になって、戦争に向かう時代になると、一層喧《かまびす》しくなる。当初はあくまでも憲法の規定の問題であり、天皇もまた国家の一機関として機能するという美濃部達吉らの天皇機関説は、多くの憲法学者の採用するところであった。それに対して、上杉慎吉らは天皇を憲法の規定の上に位置する存在として対立した。

重要なことは、この問題が単に法制上の枠内に留まらないことである。近代天皇は、教育勅語などを通して、国家の家父長のような厳格さと慈愛とを兼ね備えた存在として、人々に受け入れられるようになった。そこから、昭和の戦争期になると、次第に天皇を信仰対象とするような傾向が強まっていった。こうして天皇機関説は不敬罪に当たるとして非難されるようになり、一九三五年には、岡田啓介内閣のもとで二度にわたり国体明徴声明が出された。

早すぎたポスト近代への志向

こうした経緯を経て、文部省が編纂したのが『国体の本義』(一九三七)である。本書は、いうまでもなく「大日本帝国は、万世一系の天皇皇祖の神勅を奉じて永遠にこれを統治し給ふ。これ、我が万古不易の国体である」(同、九頁)という立場を堅持し、その国体を中心に論じているのだが、それに留まらず、一種の日本文化論となっており、かつまた日本の欧米近代文化の受容の問題にも見識を示しているところが注目される。

それによると、日本は古来インド・中国の文化を受け入れてきたのみならず、「更に明治・大正以来、欧米近代文化の輸入によって諸種の文物は顕著な発達を遂げた」（同、一頁）と、欧米の文化の導入を決して否定していない。ただ、「明治以降余りにも急激に多種多様な欧米の文物・制度・学術を輸入したために、動《やや》もすれば、本を忘れて末に趨《はし》り、厳正な批判を欠き、徹底した醇化《じゅんか》をなし得なかった」（同、三頁）ことが反省されなければならないとする。つまり、国体という日本の特殊性を十分に考えずに、何でも欧米のものを輸入すればよいと考えて、それを批判的に受容することができなかったというのである。

具体的には何が問題なのか。まず、「抑々《そもそも》我が国に輸入せられた西洋思想は、主として十八世紀以来の啓蒙思想であり、或はその延長としての思想である」（同）ということが指摘される。これは適切であろう。そして、その問題点をこう指摘する。

　これらの思想の根柢をなす世界観・人生観は、歴史的考察を欠いた合理主義であり、実証主義であり、一面に於て個人に至高の価値を認め、個人の自由と平等とを主張すると共に、他面に於て国家や民族を超越した抽象的な世界性を尊重するものである。従つてそこには歴史的全体より孤立して、抽象化せられた個々独立の人間とその集合とが重視せられる。（同）

「国家や民族」という歴史的場における特殊性を無視して、抽象的、非歴史的で普遍的な個人に根本の価値を置くところに問題がある。そして、そこから「社会主義・無政府主義・共産主義等の詭激なる思想」（同、五頁）が生まれるのである。それ故、悪の根源は、欧米の個人主義であり、その行き詰まりは今日欧米でも明らかになっている。だからこそ、それに対抗してナチスが勃興することになったのである。

まさしく「近代の超克」が語られなければならない状況が、ここに知られる。近代の行き詰まりと、ポスト近代への志向は、すでにこの時代に醸成されていた。ただ、それは早すぎたのであり、結局は敗戦後、もう一度近代をやり直すことになるのである。

『国体の本義』が説く「和」の精神

『国体の本義』で注目されるのは、単に天皇中心の観点から、「臣民」のあり方の問題とするだけでなく、日本文化そもそもの性格に関する議論に踏み込んでいる点である。即ち、「和と『まこと』」という章では、「個人主義の社会は万人の万人に対する闘争であり、歴史はすべて階級闘争の歴史ともならう」（同、五〇頁）と、近代の個人主義を批判するとともに、それに対抗するものとして、肇国以来の我が国の「和」の精神こそが、称賛すべきものだというのである。

それでは、その「和」の精神とはどのようなものだろうか。「和の精神は、万物融合の上に成り立つ」（同）という。それ故、「理性から出発し、互に独立した平等な個人の機械的な協調ではなく、全体の中に分を以て存在し、この分に応ずる行を通じてよく一体を保つところの大和である」（同、五一頁）。個人を前提として、「万人の万人に対する闘争」を調整するために相互の関係が形成されるという社会契約説的な発想は、日本人にはふさわしくない。こうして、徹底的に欧米の個人主義が排除されることになる。この議論は、さらに発展して、「神と人との和」（同、五三頁）や「人と自然との間の最も親しい関係」（同、五四頁）にまで及ぶ。

もちろん、『国体の本義』はあくまでも「国体」としての天皇国家を前提として議論しているのであり、最終的には「君臣一体」（同、五七頁）に至って、個人は天皇国家という「全体」の中に吸収される。そして、個人の主体性がすべて消え去った全体主義になって、天皇の絶対性だけが高く掲げられることになる。実際に日本はその方向を突き進み、敗北した。そこで敗戦後に再び欧米的な個を尊重する文化の再興を目指したのである。

そうではあるが、この『国体の本義』の「和」の説は、重要な問題を提起している。欧米の近代の発想は、ここに指摘されているように、まさしく個人の自立を前提として、個人が合理的、理性的になることで、そこに調和的世界が形成されると考える。しかし、それが本当に普遍的な人間観といえるであろうか。確かに、個人の自立というのは重要なことである。しかし、だからといってバラバラな個人が集まって契約してはじめて共同体が成り立つのか、といわれると、それはどうも違うようだ。

個の確立といっても、揺らぐことのない個人同士がぶつかるだけではない人間関係が、実際にあるのではないだろうか。個人が相手に応じて対応を変えるというのは普通のことであろう。会社に出ては会社人間として仕事に全力を尽くすかもしれないが、家に帰って家族とともにいる時にも同じ態度をとる人はいないであろう。人は状況に応じ、相手に応じて異なる対応をし、あえていえば異なる人格を示す。

それがもっとも顕著なのはケアの現場であろう。小さな子供でも、認知症の老人でも、その相手をする際に、自分の正しさを主張することはあり得ない。子供に対する時は子供の目線に立つし、認知症の人に対しては相手の言葉や行動を認めながら、対応しなければならない。自己の人格が確立したら、その立場を一切変えることなく、常に理性に従って行動するなどということはあり得ない。

そう考えれば、『国体の本義』で取りあげられた「和」の問題も、少し設定を変えれば重要な問題を提起しているといえる。独立した個を絶対視し、実体化して原理とする欧米的な見方が、本当に普遍性を持つだろうか。他者との関係によって流動するような「和」は、確かに長いものに巻かれ、強いものに忖度《そんたく》するような面があるかもしれない。しかし、それによって、硬直した自己主張だけでなく、相手や状況に応じた臨機応変の態度がとれるという利点もあるのではないだろうか。

欧米の普遍性要求が必ずしもすべて正しいわけではない。日本人の発想の特殊性にも取るべきところがあるのではないか。次章で、その点をもう少し考えてみたい。

3章
厄介な他者

1　関係の中の人間から他者へ

人間の社会が、単に万人の万人に対する闘争を避けるための便宜的な手段かと言われると、どうもそれはおかしい。人はそもそも最初から人々の間に生まれつき、そして大きくなる。哲学者和辻哲郎は、「人間」とは「人の間」だと解釈した。だから、倫理学は「人の間」としての「人間の学」だ（『人間の学としての倫理学』、一九三四）。自立し、孤立した個人が互いにどう関係するか、ではない。最初から相互の関係の中にいて、その中でいかに生きるかを考える。それなのに、そのような人のあり方は子供の状態であって、啓蒙によって普遍的な自己を確立しなければならない、というカント流の主張は、あまりに一方的ではないだろうか。

欧米の自律的人間のあり方に疑問を懐き、このような関係の中で人間を捉える人間観も同等に認めるべきだと唱えたのは、日本哲学の研究者トマス・カスリスであった。カスリスは、自己統合型（インテグリティー）と他者親密型（インティマシー）という二つの類型を立てる（『インティマシーあるいはインテグリティー』、原著二〇〇二、和訳二〇一六。ただし、

カスリスによる人間観の二類型

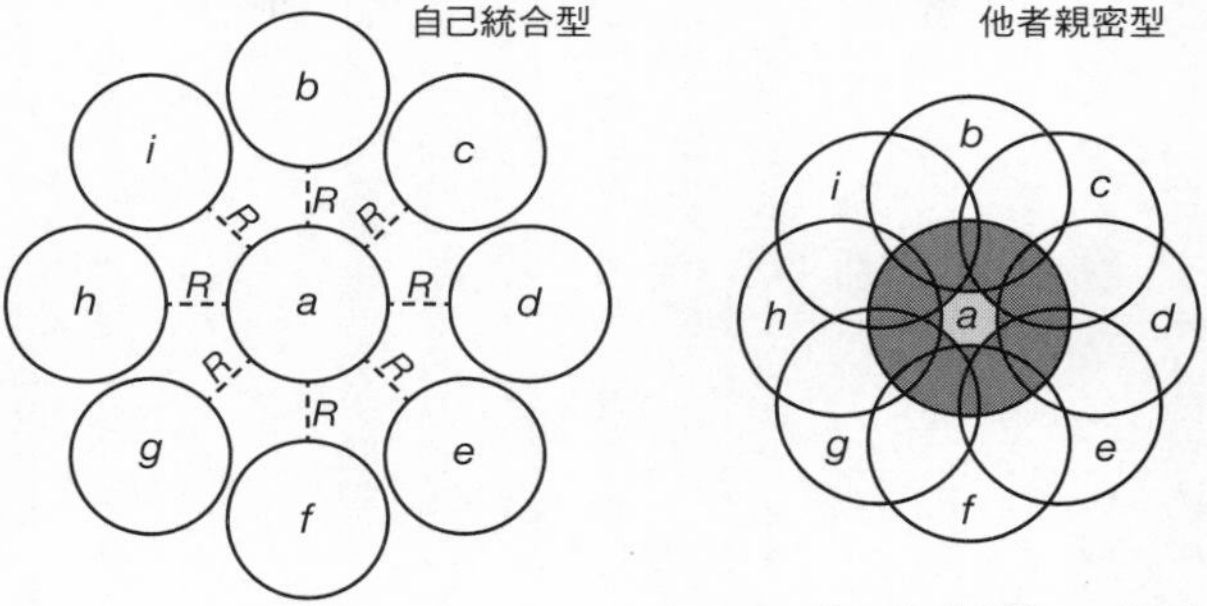

Kasulis (2002) pp. 60, 61

この訳語は末木の私案)。自己統合型というのは、独立した個人の個体性を原理とするものであり、西洋近代哲学で考えられるような自己のあり方である。それに対して、他者親密型というのは、自己を自立したものと見ず、他者との関係性の中で自己を捉えるあり方である。その両者の違いは、図を使うと分かりやすい。上図の左が自己統合型、右が他者親密型に相当する。

近代の欧米の哲学では、他者親密型の人間観は、野蛮な近代以前の人間観であり、自己統合型の人間観こそが近代の普遍的な人間観だとする。そして、前者は後者へと啓蒙されなければならないと考えた。カスリスはそれに反対する。この二つの人間観は、どちらも同等に可能な人間観であり、どちらかが優越するわけではない。一方を他方へと強制的に変えさせようというのは間違っているというのである。「和」や「人の間」として、日本の研究者が主張してきた見方も、それはそれで認められる。もちろんだからといって、そのほうが自己統合型に優越するわけではない。

カスリスの他者親密型の人間観

この問題は、欧米の人間観の変化とも関わっている。フェミニズムの中から生まれたケアの倫理は、従来の正義の倫理に対抗する新しい人間観を提示した。それはまさしく他者親密型と同じように、相手に応じて柔軟に対応する人間観であり、ひたすら自らの正しさを主張する正義の倫理に対して、新しい倫理のあり方を示している。このように、人間を単に孤立し、自立した個として捉えるのではなく、相互の関係の中ではじめて個のあり方が決まるという新しい人間観が、それなりに認められるようになってきた。

だが、今日のさまざまな問題は、そのような人間観で解決するかというと、それでは済まない。確かに他者との関係が円滑に行っていれば、それでよい。例えば、儒教では、五倫ということを説く。父子の親、君臣の義、夫婦の別、長幼の序、朋友の信である。それはまさしく人間を相互関係の中で捉えようとする倫理である。それはそのような関係が実質的な意味を持って生きている場合には機能するし、強制力さえも持つ。しかし、こうした秩序が崩壊した社会では、もはや意味を持ち得ないであろう。

カスリスの言う他者親密型の人間観は、必ずしもそのような明確な規範体制を持たない状態でも成り立つ。都会では見られないが、野原の中を行く電車で、隣り合った人とちょっとほっこりした会話を交わす、なんてこともあるだろう。もっとも、満員電車の中ではそれなりのルールができていて、お互いに同じ場にいながら、できるだけ触れ合わず、関係を持たずに知らん顔をしているというルールが成り立っている。つまり、関係を持たないという関係である。そのようなルールは特別に誰が決めたわけではないが、暗黙のうちに共通の了解ができている。

まったくひとりで山の中で生きているのでない限り、何らかの形で他者と関係することなしには人は生きていけない。まったくひとりで生きるとすれば、今度は人間ではなく、自然の中の草木や動物たちとの関係の中に置かれるであろう。関係性なしの完全な自立的存在というものは考えられない。私はそれを、「関係は存在に先立つ」と定式化している。関係の中に置かれることで、はじめて個の存在も位置付けられるのである。そのような関係性が成り立っている状況を、哲学者西田幾多郎《きたろう》の用語を使って「場」とか「場所」と呼ぶことができよう。あるいは、「空気」ともいわれるかもしれない。西田の「場所」は論理学的思索の上に立つ重要な概念であり、むしろ後述の他者領域に該当するものであるが、ここではそこまで立ち入らず、もっと単純に考える。

私自身でさえも他者

ところで、暗黙の了解をみんなが守っている限りは、問題は生じない。ところが、それを踏みにじった途端、関係が崩れ、その「場所」が揺らぎ、消滅する。コロナウイルス感染予防で、みんながマスクをしているところに、マスクを拒否する人が入ってくれば、ひと騒動になるであろう。もちろん、ちょっとしたことであれば、「場所」はすぐに繕われ、修復される。侵略者は説得されるか、排除されるかして、「場所」が回復される。

それは微妙な問題で、「空気を読めない」ということで、「場所」から排除されることも起こり得る。子供たちのグループでこのようなことが起これば、それがイジメの原因となりかねない。とりわけSNSが人間関係を作る大きな役割を果たすようになった社会では、現実味を持たないヴァーチャル空間で、人の感情は大きく歪み、リアルな日常では隠れていた憎悪などのマイナス感情が増幅される。テレビ番組での態度をSNSで集中攻撃され、

「死ね」などと書き込まれて、自死に追いやられた女性の事件は、社会に大きな衝撃を与えた。

お互いに暗黙の了解が成り立っていると思っても、そのような「場所」は堅固なものではなく、いつ誰が私に対して牙を剝くか分からない。了解可能と思われていた相手が、突如了解不可能なモンスターに変身することがないとはいえない。それは私にとって身の危険を及ぼすことさえあるかもしれない。

私たちは、日常生活の中で出会い、ともに生活している人たちを、了解可能という前提で日々を過ごしている。学校の友達でも、会社の同僚でも、了解できていると思っているが、よく考えてみると、それはその人の表層の一部分でしかない。会社の同僚が、家でどんな生活をしているか分からなくても、それでも一緒に仕事をする分には差し支えない。恋人同士や、あるいは自分の子供のことならば、すべて分かっていると思うかもしれない。しかし、どんなに分かっているつもりでも、それは勝手な思い込みに過ぎない。それどころか、私は私自身を分かっているつもりでいても、それさえも本当のところは不確かだ。突如湧き上がる感情を私は予知できないし、制御できない。私の自己同一が保たれていると思うのは錯覚に過ぎず、私にとって私自身でさえも他者なのだ。

相互了解性の成り立つ世界の裏

ここで、他者ということの意味を改めて考えてみたい。私たちの日常は、相互の了解を前提として成り立っている。相互の役割や立場ははっきりしていて、そこから逸脱することがない。それによって、相互の行動を予測できる。こうして、公共的な社会は動いていく。そのような相互了解の成り立つさまざまな「場所」の複合からなる世界を、ひとまず「公共性の領域」と呼ぶことにしたい。家庭内の私生活であっても、やはり親子の関係、夫婦の関係など、相互の位置づけははっきりしていて、その点で公共性を持っている。和辻哲郎の言葉を使えば、「人の間」としての「人間」の領域である。

ところが、そのような相互了解の成り立つ世界の裏には、相互了解をはみ出した世界が広がっている。相手を理解していると思っても、それはその人の表面に現われた一部分に過ぎない。Aという人がBと関わる「場所」に現われる了解可能な姿と、Cと関わる「場所」に現われる了解可能な姿とは必ずしも一致しない。BとCが見るAは、それぞれAの異なったごく一部であり、その大部分は見えないし、また見える必要もない。

しかし、問題はその見えない領域を無視して済むか、ということである。場合によっては、その見えない了解不可能な部分が噴出することもあり得る。奇妙なふるまいとして許容されるうちは、それでもよいかもしれない。けれども、それが家庭内暴力になったら、そのまま黙認することができなくなる。「空気が読めない」といわれている程度ならばよいかもしれないが、それがイジメになったら、死に追いやることがないともいえない。了解可能な関係が、ある一線を越えた途端、了解不可能な暴力となり襲いかかる。了解可能性が裏に蔵している了解不可能な領域を他者的な領域と呼ぶことができる。同じ人が、公共性を剝ぎ取った途端に了解不可能な他者に変じ、それはしばしば私にとって危険な存在となる。

私を脅かし揺るがす「他者」

ここで、「他者」という言葉の意味を確認しておきたい。広い意味では、「他者」は了解可能であれ、不可能であれ、私と関係する他なる者を意味する。カスリスに関して、「他者親密型」という訳語を使ったのもその意味である。しかし、限定していえば、了解不可能性こそ他者の他者性であり、その他者性が露《あら》わになり、私に迫ってくる時、他者は他者としての姿を示す。そのようなあり方を、狭義の「他者」と呼ぶことができる。

狭義の「他者」は、私が何らかの形で関わるのでなければ、そもそも問題にならない。了解可能な範囲で付き合っている限りは、他者が他者性を持っているとしても、それをわざわざ問う必要はない。また、他者性を露わにして人に危害を与えたとしても、私と関わることのないどこかであれば、ニュースで見るだけで終わるかもしれない。しかし、意味を剝奪されて、公共性の領域をはみ出し、私に迫り、私を脅《おびや》かすとき、他者は「他者」として、私を揺るがすことになる。

「他者」は、必ずしも悪意に満ちたモンスターとばかりはいえない。例えば、男女が公共性の関係に留まる限り、それはそれで既存の世界を揺るがすことがない。しかし、ある時不意に抑えられない情念が奔出《ほんしゅつ》すると、これまでの公共性の空間は一気に崩れてしまう。恋人は、これまでの了解可能性を踏み越えて、「他者」としての相貌を露わにして迫ってくる。恋愛関係の男女は、それまでの秩序の崩壊の中でもがきながら、喜びと不安の中で新しい世界を模索していくことになる。

「他者」との関係は、拒絶と暴力という否定的な関係だけではない。逆に、公共性の壁を打ち破り、自己を崩壊させて、一体化へと向かうこともある。それは、既存の世界の硬直を揺るがせ、新しい秩序の構築へと向かう力を生み出す源泉ともなり得る。「他者」の出現は、私を私のままであらしめない。他者を拒絶するか、同化するか、崩壊するか、それとも向上するか。どちらへ向かうか分からないが、他者の出現は私を否応なく変えてしまう。

2 多様な他者

これまで、他者(以下、括弧を付けない)を個のレベルで考えてきた。しかし、他者は、個のレベルだけではない。集団間でもあり得る。集団を形成するというのは、個がもう一つ大きな単位の中に吸収されることで、個が融解してしまう。例えば、阪神なり巨人なりのファンがスタンドでそれぞれのチームと一体化する時を考えてみればよい。野球のファン同士であれば、それほど極端化することもないであろうが、状況によっては集団間の対立は暴力に至ることもあり得る。ネットの炎上のように、お互い知らない人が、一人を叩くという目的だけで集団化し、言葉の暴力が荒れ狂うこともある。匿名性は他者性を強める。

国家や人種もそのような集団として考えることができる。それは個を内的な要素として含みながら、対立する。ある集団に属することは、安心感を与えるとともに、ときに他の集団への憎悪を募らせる。それは単に集団間の関係というだけではない。その成員に集団と同化した強い感情を植え付ける。集団の危機は、その成員の危機として受け止められる。人種や民族もまた、そのような集団であり得るし、また、宗教集団も同様である。集団の帰属意識が強ければ強いだけ、外から迫る危機感に対して激しい対抗感情が生じ、ますます団結を強くする。集団内の人にとって、外部の圧力は強い他者となり、また、部外者にとっては、その集団が内的に団結すればするほど、不気味で危険な他者となる。

死者と関わりなく生きることはできない

他者はまた、人間だけとは限らない。身近な動物たちもそうだ。ペットとの間には了解が通ずるようでもあるが、言葉が通じないことで、公共的ではあり得ず、それだけ一層情が募る。ゴキブリは小さな他者そのものだ。植物たちももちろんだが、もっと大きくは自然そのものが今日、災害の巨大化により、他者性を強めている。人造物でさえ、原子力発電所のように、手に負えない他者と化して、猛威を振るうものとなっている。

他者は目に見えるとは限らない。むしろ見えないものの不気味さが次第に大きくなっている。ネット社会は、まさしくそれがリアルな身体を介さない故に、過激化する。福島第一原子力発電所の事故では、放射能という目に見えないものの恐怖に怯えることになった。

ウイルスは、見えないとともに、そもそも細胞を持たないので生物ともいえないのに、ヒトの身体に入り込み、ヒトの細胞を使って増殖していく。他者というにはあまりに微細だが、それだけに強力だ。

ただ、放射能にしても、ウイルスにしても、それを科学的に検出する方法はあり、その所在を突き止めることはできる。しかし、それさえもできない、まったく感知されない他者もあるのではないか。その代表として死者を挙げることができる。確かに葬儀や法要、あるいは慰霊などの儀礼においては、死者が臨在し、死者と関わることができる。あるいは夢に死者が立ち現われることもあるであろう。けれども、死者との間に公共の言葉は通用しない。それでも、私たちは否応なく何らかの形で死者と関わりなく生きることはできない。生きている人たちの他者性は、いわば公共性の裏側に他者性を蔵しているので、それが思いがけない時に出現する。それに対して、死者ははじめから公共的ではあり得ない。その意味で、死者はまったき他者であり、他者の典型といってもよい。

哲学の問題としての死者

私が死者の問題を取り上げるようになったのは、二〇〇一年頃からであった。その頃、死という問題を自らの問題としてずっと考えていた。しかし、自らの死を問題にする限り、生きていて論じられる間に死を体験することはできないし、それを体験した時はもはや通常の言葉で語ることはできない。それ故、いずれにしても直接死の問題を論ずることはできなくなる。その矛盾の典型は、ハイデガーに見られる。ハイデガーは「死への先駆的決意」によって、人間は本来性を取り戻すことができると説く。ところが、どんなに先駆的に到達しようとしても、死そのものには達せられない。結局は、生の立場から死を見るという限界を突破することができない。

しかし、自らの死ではなく、他者の死ということであれば、誰でも死を経験している。身近な人の死を体験しなかった人はいないであろう。死者は不在によって生者に対して大きな力を働かせる。生者を恨む死者、生者を守る死者、死者もまたさまざまな相貌を持つ。それならば、自らの死から、他者の死、あるいは死者としての他者へと問題をずらし、議論すべきではないのか。

こう考えて、死者の問題を哲学の問題として提示するようになった。それに対する反応は、当初はほとんど無視か、あるいは場合によっては、気持ちが悪いといわれ、問題そのものを否定されることもあった。確かに従来の哲学の常識では死者は問題にならない。

「存在者」の「存在」が問題とされるような存在論的な観点からは、そもそも存在するとも、しないとも言えない死者は、問題として取り上げようもない。しばしば哲学者は問題のありかを間違えて、死者は存在するか否か、即ち、死後の存在はあるのか、と問う。けれども、肝腎の問題はそこではない。存在しようがしまいが、死者が生者に対して与える衝撃は間違いなく、私たちは死者とどのような関係を結ぶかを考えないわけにいかない。それ故、哲学的にいえば、少なくとも現象学的には十分に議論の対象となる。現象学とは、私たちに対して、何ものかがどのように現われるかという現われ方を問題にする方法だからである。

当初無視された死者の問題であったが、二〇〇六―〇七年頃から少し風向きが変わり、関心を持ってくれる人が出てきた。少子高齢化によって墓の維持が大きな問題となった時期であり、「私のお墓の前で泣かないでください」という「千の風になって」が大ヒットした頃であった。死者という問題が、人々の関心を惹《ひ》くようになってきた。

それが、二〇一一年の三・一一の大災害の後で、死者の問題は一気に大きく注目されるようになった。一九九五年の阪神・淡路大震災の際も多数の死者を出したが、その時は死者の問題はそれほど大きな問題とはされなかった。そこには、地域差や時代の大きな変化があったと思われる。マスコミでも死者の問題が大きく取り上げられるようになり、あまりに安易に死者が語られるようになってしまった。その中で、死者の哲学がいかにして可能か、改めてしっかりと考えなければならない。死者については次章でさらに考えてみたい。ここでは、死者が他者として見られるべきものだということを指摘するに留めたい。

神仏に手を合わせること

さらに、死者を突き詰めていくと、神々や仏たちも同じように他者と見ることができる。多神教的な神々は、西洋の哲学ではその位置づけがなかなか理論的に解明できない。一神教的な観点からは、ともすれば多神教は一神教以前の原始的な宗教と見られ、本格的な検討に値しないものと考えられた。それに対して、仏教はキリスト教に対抗しうる宗教と考えられ、理論的にも考究されたが、その際、多数の仏や菩薩《ぼさつ》たちの存在には十分に目が向けられなかった。仏・菩薩たちは「空」とか「無」に吸収されるものと見られ、それぞれ個別性を持った仏・菩薩たちは単なる方便と考えられ、仏教の本質とはされなかった。

しかし、神々や仏・菩薩を単なる未開の多神教や方便として済ませることができるであろうか。私たちは神社や寺院で礼拝するが、それらは何の意味も持たないものであろうか。

彼らは見えないものであるし、またご利益を願ったからといって、それ相応の見返りを与えてくれるとも限らない。それでも、神仏に手を合わせることは、神仏と何かの関係を持つことである。伝統的な表現を使えば、「縁を結ぶ」ということである。

他者をめぐる三つの層

死者が、かつては公共性を持ち得る生者として存在し、今は公共性の領域を離れて不在である他者とすれば、神仏は最初から公共性の中に入ってこない他者である。それ故、他者としての性格は必ずしも死者と同じとはいえないが、やはり死者と同様に私たちが関係を持つ何ものかである。

もちろん、そこには文化の相違がある。厳格な超越的一神教の立場に立つならば、確かにこのような神仏は問題にならない。また、同じ多神教でも、インドの神々の現われ方は日本とは異なるであろうし、東南アジアの上座部仏教の仏のあり方は、大乗仏教とは異なっている。その点からすれば、神仏のあり方は直ちに普遍的とはいえない。死者との関係の持ち方も、文化圏で異なっている。ここで取り上げているのは、日本という場で、もっとも広く見られる死者との関係や、神仏との関係である。確かに、それは特殊であるかもしれない。しかし、従来の西洋一辺倒の一神教の立場の哲学に対して、異なる哲学の可能性を示すという点で、それは重要な意味を持っていると考えられる。

以上のように、他者はいささか性質を異にした三層に分けることができるように思われる。第一層として、私たちが通常公共的次元で交流できる人間の裏側の了解不可能性、第二層は死者、第三層は神仏である。時間性という点から考えれば、第一層の他者は、同時的存在としての他者であり、第二層はかつて存在し今は非在の他者、第三層は過去も今も非在の他者として区別される。非在というのは、存在しないというのではなく、公共的な場で把握できないという意味である。

私は、これまでの著作において、「公共性」と「他者」の領域に対して、それぞれ「顕《けん》」と「冥《みょう》」という術語を当ててきた。これは、中世の日本で用いられた用語であり、神道では、「顕」と「幽」が多く用いられる。いずれにしても、それによって日本の伝統思想との連続を示そうとしたのである。そのことは、日本の伝統思想の研究者にはある程度理解を得られたが、西洋の哲学を研究してきた人たちには、十分理解されなかったようである。そこで、本書では「公共性」と「他者」という、より一般的な用語を主として用いることにしたい。

3　他者をめぐる理論

他者という問題は、二十世紀のフランス現象学で大きく取り上げられるようになった。もともと近代哲学の原点とされるデカルトの「我思う、故に我あり」という原理は、他者の問題、ひいては自己の外なる世界を排除することによって、自己の存在を確認するところから出発していた。それ故、外的世界が成り立つためには、自己の次に確実なるものとして神の存在を導入することが必要であった。本当に「我思う」という原理だけを貫けば、自己しか認められない独我論に陥ることになってしまう。

二十世紀の哲学に大きな方向性を与えたフッサールの現象学もまた、自己の意識の分析から出発しているために、他者を説明するという段階で、困難にぶつかることになった。自己の意識に他者がどう現われるか、ということは説明できても、自己の意識を超えた他者——それこそが他者の本質なのだが——を十分に捉えられずに、独我論を脱するのはきわめて困難となった。その問題は、ハイデガーにも引き継がれた。ハイデガーでは、人間は「世界内存在」として捉えられ、自己意識への閉塞は避けられたが、日常的なあり方は

「世人」（ダス・マン）として、人間の本来性を逸脱して堕落したあり方と見なされ、それを超えて、単独者としての死への先駆的決意によってはじめて、本来性に達するとされた。したがって、そこではやはり他者論が積極的な問題とされることはなかった。

しかし、そもそも人が「世界内存在」であるならば、そこには他者との関係ということが当然前提となっていなければならない。デカルトの「我思う」は、すでに他者と共有する言語によって表現されてはじめて意味を持つ。言語を排除すれば、禅の悟りのようなものになってしまい、それでは、「我思う」ということさえも拒否されなければならなくなる。皮肉なことに、「我思う」が成り立つためには、他者が前提とされなければならないのである。

サルトルとレヴィナス

フランス現象学では、その点が改めて問い直されることになった。その代表的な一人がサルトルであり、『存在と無』（一九四三）において、「対他存在」として他者との関係を取り上げた。サルトルは、他者とは「まなざし」であるという。私に向けられた「まなざし」は、私を屈服させようとする。しかしまた、私の「まなざし」は逆に他者を屈服させようとして、そこに相克が生まれる。それに対して、二つの態度があり得るという。第一は、他者の「まなざし」を受け入れて、他者に同化しようとする。例えば、愛の受容の場合などであるが、それが極端化するとマゾヒズムとなる。第二は、逆に私の「まなざし」で他者を見返すことが可能である。無関心に相手の「まなざし」をやり過ごしたり、さらには欲望や憎悪で相手を抑え込んだりすることで、極端にはサディズムに至る。

サルトルの対他存在論は、他者関係の心理的な相克に関して、作家らしい具体性をもって論じられているが、そこで取り上げられた他者論は、多様な他者関係の中で、個的な人間同士の間の問題だけであり、限定されている。それに対して、レヴィナスは『全体性と無限』(一九六一)で、異なる他者のあり方を問うている。レヴィナスは、「同」と「他」を徹底的に分ける。私がどこまでも「同」であるのに対して、他者は「他」なるものであって、同化されない。しかし、これまでの西洋哲学は、「他」なるものを「同」に解消させようと努めてきた。すべてが「同」と化することで、全体性の概念が生ずる。だが、その全体性に包括しきれず、そこから逸脱し、超越していく「他」なるものがある。他者は私から無限に隔たっている。

公共性と他者

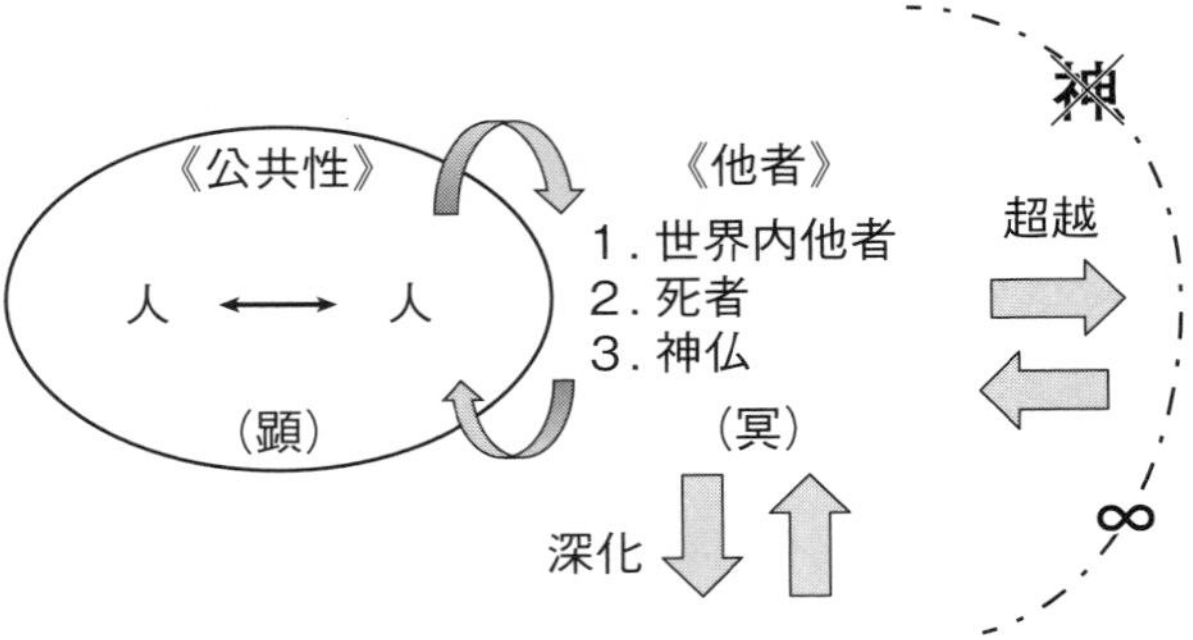

根底にあるユダヤ教の信仰

　レヴィナスの「他者」は「顔」として現われるが、無抵抗な弱者であり、「汝《なんじ》殺すなかれ」と訴える。踏みつぶせそうな弱者の叫びを、私は無視できず、その前にたじろぐ。レヴィナスは、ユダヤ人としてドイツ軍の捕虜となり、近親者はホロコーストの犠牲となった。レヴィナスの弱者としての他者の「顔」には、その経験が反映されている。他者との関係は、相克ではなく、むしろその微弱な声を聴きながら、同化できない他者との関わりの中から、倫理を立ち上げるところにある。

　レヴィナスの他者は、決して同化できず、徹底的に他なる者であるが、その根底にはユダヤ教の信仰がある。その立場では、絶対神は決して同化し、融即することを許さない。人は、神と直接の関係を持つことができない。この点で、キリストという神＝人の媒介を認めるキリスト教よりも厳格であり、神はただ弱者としての他者の「顔」の背後に、「見えざる神」としてうかがい知られるだけである。

ユダヤ系一神教の絶対神は、これまで検討した他者とまったく異質である。それは、全体性の枠の中に決して入り込むことがなく、無限の彼方に超越している。それをも「他者」と呼ぶことができるとしても、それは他の他者とまったく異質であり、私の側からの接近は不可能である。カトリックの哲学者マリオンは、『存在なき神』（一九八二）で、神は存在をも超えているという。

ユダヤ＝キリスト教系の神についての考察はきわめて重要であるが、それに立ち入ると、それ自体でかなりの分量を取ることになる。そこで、その問題は指摘するだけに留め、それをも含めた「公共性」と「他者」のあり方を図によって示しておこう（前頁）。ここで、神に×を付けた表示は、マリオンに従って、「神」という表現をも超越していることを示す。また、「超越」の方向と異なる方向に「深化」と記したのは、超越に対するのは単なる内在ではなく、他者の世界を深めていく方向性があるのではないか、ということである。このことは、後に霊性の問題として考えることにしたい。

天台宗の「十界互具」説

さて、従来の他者論が一神教的な西洋哲学の発想をもとにして論じられていたのに対して、ここでは先に述べたような多様な他者、即ち、人間以外の生物や無生物たち、さらには死者や神仏までも含めた他者のあり方をさらに考えてみたい。そのような他者のあり方を的確に解明する理論はないだろうか。

私はこのような理論として、天台の「十界互具《じっかいごぐ》」説を挙げたい。十界というのは、迷っている衆生《しゅじょう》が輪廻《りんね》する六つの領域である地獄・餓鬼・畜生・修羅・人・天の六道（六凡）と、悟りの段階である声聞《しょうもん》・縁覚《えんがく》・菩薩・仏の四聖《ししょう》とを併せた十段階のあり方である。十というのは、ひとまず仏教の理論によって、生あるものをその性質に従って分類したものであるから、固定的に十に分かれるわけではない。要するに、最悪でもっとも苦難に満ちた状態(地獄)から、最善でもっとも幸福の状態(仏)まですべてを含むということである。

十界互具は、十界のそれぞれが自らのうちにまた十界すべてを含んでいるという説である。即ち、仏の中にも仏から地獄まで十界すべてが含まれ、地獄の中にも仏から地獄まで十界すべてが含まれる。もちろん人（人間）の中にも仏から地獄までが含まれる。要する

十界互具の構造

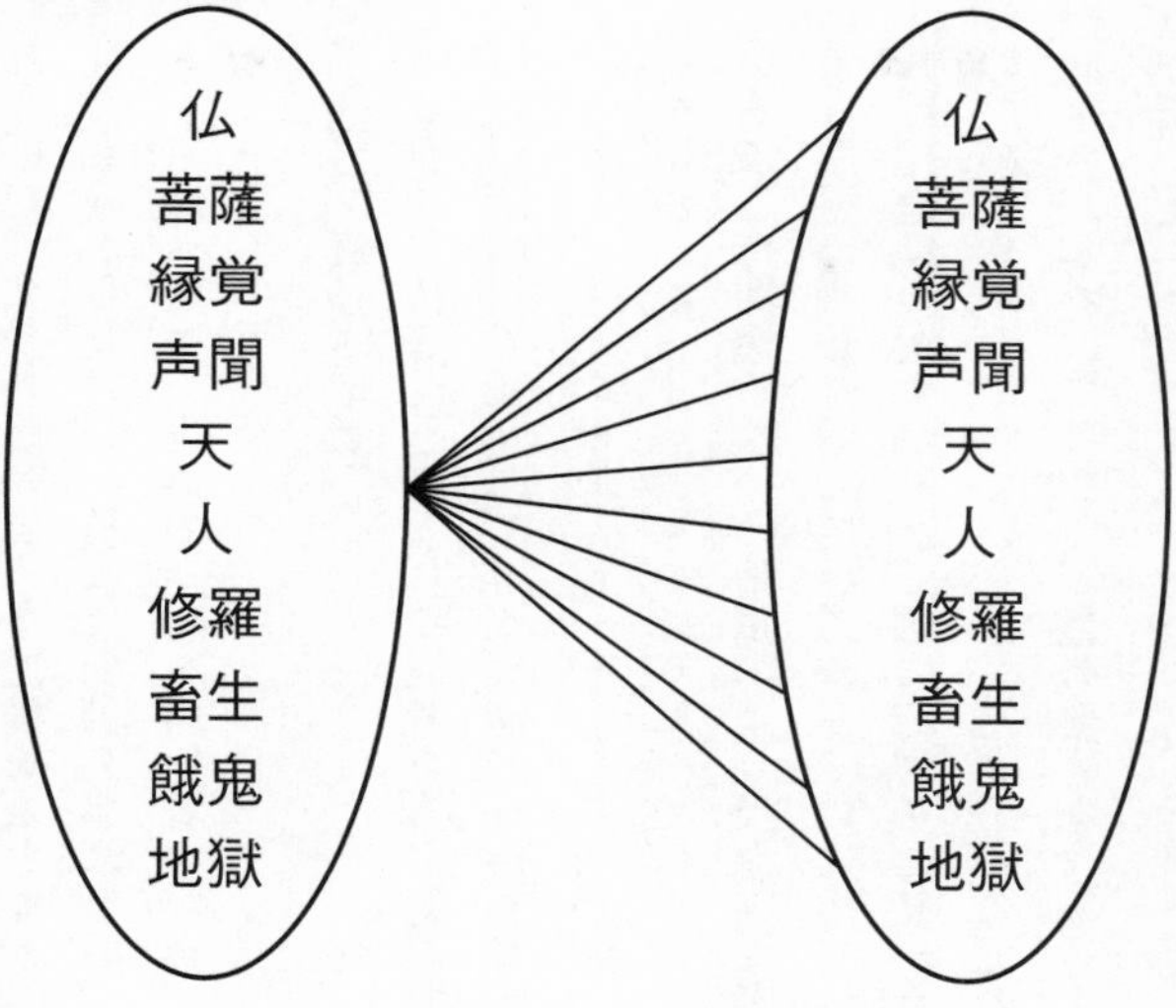

に、一個の衆生の中に、善から悪まで、聖から俗まで、楽から苦まで、あらゆる要素が含まれるというのである。

それ故、「私」という固定した個体があるわけではない。今かりに人の姿を取っているが、だからといって、人として自己同定されるわけではない。「私」とはそれらの要素の重層なのであり、その中のどれが表に出るかによって、「私」は異なった姿を示す。「私」は単一化されず、その内に他者が住まっている。もしかしたら、突如湧き上がる衝動によって悪逆非道の地獄の相貌を示すかもしれないし、仏や菩薩のような慈愛を表わすかもしれない。私がどのように変貌するか、私自身にも分からないし、私には制御しきれない。十界とは、私の中に抱え込んだ他者に他ならない。私とは、得体の知れない他者の集合体である。

「内なる他者」「外なる他者」

このように、私は自己のうちに他者を抱え込んでいるが、それでは他者はどうであろうか。他者がはたして私と同じような構造を持っているかどうか、それは厳密には分からない。けれども、中身の構成は違うかもしれないが、他者もまた、私と同じようにさまざまな相貌を現わすから、他者もやはり単一ではなく、同じように善悪等の諸要素の複合になっていることは間違いない。地獄のような悪逆な者の中にも十界が含まれている。今は地獄のような悪の相貌を示しているが、そのように固定されているわけではない。きっかけがあれば、地獄の衆生がやがて仏に転ずることがないわけではない。逆に、仏にもまた、地獄の悪の要素が含まれているはずだ。十界のどのレベルの存在も、完全にそのレベルに自己同定されるわけではなく、他の要素を含み込んで流動する。それが十界互具ということである。

こうして、相互に十界を含み合うことで、他者との関係が作られる。それは、レヴィナスのいうように、徹底的に「同」である自己と、徹底的に「他」である他者との、決して交わらない関係ではない。そうではなく、「内なる他者」が「外なる他者」に通底し、自己の内のある要素が、他者の中の同じ要素と感応すると考えられる。例えば、私の中の地獄の要素が他者の地獄の要素と感応すれば、両者が結び合うことで悪が増幅されて犯罪に手を染めるかもしれない。逆に私の中の菩薩の要素が他者の菩薩の要素と感応すれば、私の心は浄められ、高い精神性を発揮するかもしれない。あるいは、私の中の地獄の要素が、他者の中の菩薩の要素に対して憎悪の念を募らせることがあるかもしれない。このように、自己の中の多様な要素のある部分と、他者の中の多様な要素のある部分が、相互に惹き合ったり、逆に背き合ったりするところに、他者との関係の多様なあり方が生ずることになる。

仏にも地獄の要素があるか

地獄の衆生に仏の要素があるということは、ある程度納得できよう。仏教ではキリスト教のように、一度限りの審判で永遠に天国と地獄が決まるということはない。いくらでも繰り返しチャンスは与えられる。それは、輪廻説を前提とする。輪廻を繰り返すうちに、最悪の状況から抜け出し、向上の道へと進むことが可能と考えられる。あらゆる衆生に仏性があるというのは、そのことを意味している。

だが、逆に仏にも地獄の要素があるということは、認めうるであろうか。仏は完全な存在だから、そこに地獄の要素などあるはずはないではないか。そのような疑問から、十世紀の中国天台で論争が起こった。仏に地獄の要素などない、とする一派は山外派《さんがい》と呼ばれ、仏にも十界互具が成り立ち、地獄の要素があると認める一派は山家派《さんげ》と呼ばれる。後者の説によれば、仏にも地獄の要素はあるが、ただあくまでも原理的にあるのであって、事実的にそれが現象することはないと考えた。この山家派の中心となった論客が四明知礼《しめいちれい》であり、その立場が正統とされることになった。彼らの説は、仏も本性として悪を持っている、というところから、性悪説《しょうあく》と呼ばれる。ただし、これは中国の儒家において、人間の本性を悪と見る性悪説《せいあく》とは異なることは注意が必要である。

性悪説が重要なのは、仏にも悪の要素があることによって、はじめて地獄の衆生をも救済することが可能になるという点である。もし仏に悪の要素がなければ、なぜそんな悪事を行なうことになったのか、理解できないし、共感もできない。悪を犯さざるを得なかった心情に共感することによって、はじめて地獄にまで下り立って、救済することが可能になるのである。十界互具説の本領はここに発揮されることになる。

なお、十界互具説をさらに発展させたものとして、一念三千《いちねんさんぜん》説がある。三千というのは、十界×十界（＝十界互具）に加えて、そのそれぞれが『法華経』に基づく十の範疇（十如《じゅうにょ》是《ぜ》）を有し、さらにそれらが、衆生世間（主体の領域）、国土世間（環境世界）、五蘊《ごうん》世間（存在要素に解体したあり方）に亘《わた》るところから、10×10×10×3で、三千とする。それが瞬間的に生起する衆生の心（一念）に含まれているということが一念三千である。このように、私たちの日常は決して単一の人格に帰着できるものではなく、じつは心の奥に驚嘆すべき複雑な内実をもって進行しているのである。

4章

死者と死後

1　死者といかに関係するか

前章で述べたように、死者は他者として、直接公共的な日常に接するのとは異なる形で私たちが関わりを持たざるを得ない何ものかである。長い間、死者との関わりなど、哲学のテーマとして取り上げられることもなかった。戦争で大勢の人が亡くなり、慰霊や鎮魂が問題になったはずだが、それは理論的な問題として哲学的な議論の俎上に上ることはなかった。近代の合理主義の中で、公共的な場に上らせることのできない死者など、そもそも問題にならなかった。ましてマルクス主義の唯物論が大きな力を持っていた時代には、死者との関係など迷信に過ぎないものとされた。

広島の原爆慰霊碑の正式名称は「広島平和都市記念碑」、原爆資料館は「広島平和記念資料館」であり、原爆ドームでさえ、「広島平和記念碑（原爆ドーム）」であって、「原爆」という言葉さえ、括弧内に付け加えられる以上には使えなかった。広島は平和運動、原水爆禁止運動の拠点となったが、その運動は慰霊や追悼ということには無関心であり、むしろ否定的であった。

二〇〇二年に開館した国立広島原爆死没者追悼平和祈念館になって、はじめて「原爆死没者追悼」ということが、館名に正式に採用された（その開館には強い反対運動があったという）。そこに、多少の時代の変化を見ることができるであろう。ちょうどその二〇〇二年には、小泉純一郎政権下で福田康夫官房長官の私的懇談会が、国立の無宗教の戦没者慰霊施設を必要とするという報告書を提出し、多少とも議論がなされた時期であった。この問題は、靖国神社のあり方と直結する。靖国神社の国家護持を求める運動は、政教分離・信教の自由に抵触するという理由で困難になっていた。その中で、二〇〇一年の小泉首相の公式参拝に対しても、中国・韓国などが反対して国際問題化することになった。死者の慰霊が、戦後はじめて大きく問題とされることになったが、そのようないきさつから、それは政治・外交レベルの問題として取り上げられた。国立の慰霊施設の懇談会も、主として財界人と政治学者からなり、宗教や哲学の研究者は加わっていなかった。

日本人の死生観を遡る

新たに慰霊や鎮魂の問題がクローズアップされるようになったのは、東日本大震災によるところが大きいが、もう一つ無視できないのが、平成期の天皇（現上皇）が、災害地の見舞いとともに、戦争の犠牲者を慰霊する旅を続けたことであった。天皇はそれを象徴としての天皇の任務として行ない、それが国民に広く受け入れられることになった。こうして、慰霊は政治に左右されない、より根源的な問題として提起された。

しかし、こうして慰霊が大きく取り上げられるようになっても、それについての理論的な探究はほとんどなされていない。そもそも、「慰霊」は古くは見られない語であり、「鎮魂」は、生者の魂を身体に留め、さらにはその魂に活力を与える「タマフリ」を含むものであった。宮中では、十一月に天皇・皇后などの鎮魂を目的とする鎮魂祭が行なわれた。後述のように、もともと神道では、死者観は十分に確立されておらず、死者儀礼も整っていなかった。それが議論されるようになるのは、幕末の平田篤胤《あつたね》やその門下を待たなければならなかった。

民俗学者の柳田国男は、そのような理論化されたものではなく、生活の中の民俗的な行事や風習に仏教以前の日本人の死生観を見ようとした（『先祖の話』、一九四六）。柳田によれば、死者はアラタマ（新魂＝荒魂）として祀られる必要があり、やがて個体性を失って祖先神に一体化していくという。死者の魂や祖先神は遠く離れたところに去ってしまうのではなく、生者の身近にいる。近くの山に住み、稲作の時期には下りてきて、田の神として農耕を守るという。

この柳田の説は、日本人にとってかなり納得がいきやすいように思われる。しかし、死者が身近にいるというのは、じつは必ずしも古くからの日本人の信仰というわけではない。はじめてそのことを明確に唱えたのは、幕末近くの平田篤胤である。近世になって、墓制《ぼせい》が整備され、死者に対する畏れが少なくなって、ようやく死者への親しみが持てるようになったのであって、それ以前の段階では、庶民は死者の埋葬も十分にできず、死者はむしろ避けられなければならない危険な存在だった。

イエ制度という発想は明治以降

また、柳田の説は、先祖を祀るイエの持続ということが前提になっている。確かに古くから続く家系があるのは事実だし、とりわけ近世には武士にとってイエの存続は個人を超えて願われるべきものであった。しかし、庶民にとってイエは必ずしも絶対的な意味を持つものではなかった。そもそも庶民は姓を持つことができなかったのだから、イエの意識を強固に持つことはできなかった。イエが庶民にものしかかってくるのは、明治になって庶民が姓を持って戸籍が作られ、さらに教育勅語などで儒教的な家族道徳が普及することによる。イエ単位の家墓《いえはか》は、ほとんどが明治になってからのものである。しかも、それが農耕神と結びつくのは、稲作中心の農耕生活が安定した時代の発想であろう。

このように、柳田の説は、一見日本人ならば誰にでも妥当し、古代からずっと続いてきたように見えるが、実際にはかなり限定された時代にのみ当てはまるものであった。即ち、近世後期から近代へかけて、家父長制的なイエ制度がもっとも強くはたらき、かつ稲作農業が国の根幹をなしていた時代の、ある程度裕福な自作農をモデルとしている。柳田の『先祖の話』は、戦争末期に書かれ、戦後すぐに出版された。イエの継承者が戦死してイエ制度が危機に瀕した状況の中で、その危機意識に突き動かされたものであった。

その後の占領政策でイエ制度は否定された。家父長による家督相続は均分相続に代わり、やがてイエは崩壊する。また、農地解放で農地が小分化されるとともに、専業農家が困難になり、人口の都市流入によって、都会のサラリーマンの核家族が家族のモデルとなっていく。そうなると、柳田の示した死生観は、必ずしも日本人に共有されるものではなくなっていく。死者が住むのは里山ではなく、天国とされるようになる。そこには、戦後のアメリカニズムの影響もあるであろうが、また、ビルの立ち並ぶ都会では上に開かれた空が死者の行方として自然だったということもあろう。

重層的な死生観は単一化できない

死者といかに関わるかという問題は、このように死者の居場所やそのあり方と密接に関係している。それ故、死後をどう見るかという死後観の検討が必要になる。それについては、次節以後の課題としたい。ここでは、必ずしも死者観、死後観が単一的に筋の通ったものになっているとは限らない、ということを指摘しておきたい。柳田は、仏教の影響を排除して、日本人独自の死後観を明らかにしようとした。しかし、仏教や中国思想が入ってきてはじめて日本人は人間観や自然観を形成するようになったのであり、それ抜きにして日本人独自の考えを抽出することはできない。しかし、日本に入った仏教は、すでに中国で大きく変容しているし、それがさらに日本で変容していく。そこには、重層的な死生観が入り込んでいて、決して合理的に単一化して、整理することはできない。例えば、戦争の死者は靖国神社で神道的な祭祀《さいし》を受けるとともに、郷里では多くの場合仏教的な祭祀を受ける。それは必ずしも矛盾したことと考えられていない。

仏教では輪廻説が原則である。それ故、死後、次の生が確定するまでの四十九日の間は、死者の行方を決めるのに追善供養によって助けることが可能としても、それを過ぎて次の生に入ってしまえば、もはや追善供養は意味を持たない。実際、スリランカやタイなどの上座部仏教やチベット仏教では、年忌法要などは行なわれない。ところが、東アジアでは、儒教的な祖先崇拝と習合することで、年忌法要が重要な意味を持ってくる。それは、輪廻とどう関係するのだろうか。まして、極楽に往生したり、即身成仏《そくしんじょうぶつ》したらどうなるのだろうか。

死生観は決して一元化できなくても構わないし、そもそも死後のことがどこまで理論的に説明できるかは、難しい問題である。次節以後、少しずつその問題を考えていきたいが、ここで事前に前提となる方法的な問題を考えておきたい。何よりの問題は、死者との関係をどこまで言説化して、語ることができるか、ということである。

そもそも死者との間では、私たちが日常で使っている公共的な言葉は通じない。たとえ公共的な言葉で語りかけたとしても、それがどこまで死者に通じているかは、誰にも分からない。逆に死者の側がどのようにして生者に語りかけてくるかも分からない。そもそも死者は生者と同じような姿で存在するわけではない。それでも、生者は死者と関わりを持たないわけにはいかない。非在者としての死者が否応なく生者に迫ってくる。その死者とどのような形で関わることが可能なのであろうか。

死者は沈黙の言葉で生者に訴える。それは場合によっては、生者にとって危険を及ぼすことがないともいえない。不慮の災害や戦争の死者たちの沈黙は、しばしば生者を追い詰める。アウシュヴィッツの死者たちの沈黙の前で、一体誰が何を語ることができたであろう。

死者たちの異界へ通じる路

一気に極限的な問題に話が進みすぎたかもしれない。それは改めて考えることにしよう。ここでは、もう少し一般的な死者の場合に戻って、死者との関係を秩序化する「儀礼」という問題を考えてみよう。通常の公共的な場所で死者と関わることができず、また死者からの不意打ちの打撃を和らげる必要があるとすれば、どうすればよいだろうか。そこで、死者を迎える儀礼という「場所」が設定されることになる。儀礼とは、一定の手順によって、通常では関係を持つことのできない他者との関係を可能とする場所のことである。

まず葬儀によって死者を公共の場から別の秩序へと送り出す。それは、天国とか、極楽とか、黄泉《よみ》とか、あるいは墓地や近くの山であるかもしれないが、生者にとっては不可知な場である。曖昧で不可解な他者を、それでもひとまず別の秩序に移した上で、新しい関係を構築しようとする。遺骨は墓地に埋められ、位牌《いはい》というヨリシロが仏壇に置かれることで、墓地や仏壇は死者たちの異界へと通ずる通路となる。公共の言葉が通じない世界への扉を開くのは、法要という儀礼であり、その中で唱えられる呪言《じゅごん》としての経文である。

もちろん、そのような仏壇や経文の理解は、仏教本来のものと異なる。仏壇はもともと本尊を安置する場所であり、経典の読誦《どくじゅ》はそれによって生ずる功徳を死者に廻向《えこう》（回向）すると説明される。廻向というのは、自分の功徳を他者に施与し、他者の功徳としてカウントできる仕組みである。それ故、理論的には仏壇で経文を読誦するのは、死者の功徳を増すためであって、死者と直接関わることにはならない。けれども、実際の機能としては、それによって死者を呼び出し、死者と関係を結ぶこととして受容されている。

もっとも、死者と神仏は同じように見えざる他者であり、死者は神仏への通路という役割を果たしていると見ることもできる。第二層の他者である死者はかつて生者であったのであり、それだけ生者に親しい他者であるが、神仏はそれよりも奥にいる第三層の他者である。両者は他者としてのあり方を異にしている。しかし、死者が「ほとけさま」といわれるように、両者は相通じ合うところも持っていて、死者は生者と神仏とを媒介する位置にあるともいえる。そうとすれば、仏壇や経文がまず死者への通路を開き、その死者から神仏につながっていくと考えるのも、あながち間違いとはいえないように思われる。

2　死後はどうなるのか

死者と死後の問題をさらに考えていくために、その点を深く考察した論者として、エリザベス・キューブラー＝ロス（一九二六―二〇〇四）の場合を取り上げてみよう。キューブラー＝ロスといえば、『死ぬ瞬間』（一九六九）で死の受容に至る五段階説を立て、終末期医療のパイオニアとして、今日に至るまで高い評価を受けている。スイス出身の精神科医としてアメリカで働く中で、死に瀕した人たちがいかに死を受容していくかという過程を、多くの症例をもとに分析して、理論化したのである。

彼女によると、死に直面した患者は、否認・怒り・取引・抑鬱・受容という五段階を経て、死を受け入れていくという。即ち、最初はまさかそんなことはないと否認するが、否認できないとなると、どうして自分が死ななければならないのかと怒りをぶつけるようになる。それから、自分の悪いところは改めるからと、延命を求めて取引する。それもかなわないと、抑鬱状態になり、最後に安らかに死を受け入れるようになる、という。もちろんすべての人が同じ過程をたどるわけではなく、比較的若い人の終末期に通用するところが大きいであろう。年齢の違いのほかに、文化による違いも考えられなければならない。けれども、多少の修正をすれば、大まかにはかなり妥当しそうである。今日でもターミナルケアの基本となっている。

ところが、同書が古典として揺るぎない地位を確立したのに対して、彼女のその後の活動に関しては毀誉褒貶《きよほうへん》が著しく、多くは同書に付随して、あまり芳しくないエピソードとして語られるだけとなっている。その最大の理由は、彼女が死に至る過程だけに留まらず、死後どうなるか、というところまで踏み込んだところにある。そして、それを科学的に法則化し、論証しようとしたのである。彼女がそのための最大の論拠として活用したのが、臨死体験であった。

キューブラー＝ロスと臨死体験

多数の臨死体験者の報告をもとに彼女が到達したのは、死に至る過程の五段階に対応するかのように、死亡直後にも五段階があるということであった。自伝『人生は廻る輪のように』（原著一九九七。和訳一九九八）によると、第一期は、体外離脱であり、肉体から抜け出し、エーテル状の霊妙な身体をまとって浮遊する。第二期は、肉体を捨てて、霊やエネルギーとなった状態で、どんな場所にも思考と同じ速度で移動できる。第三期になると、守護天使に導かれて、トンネルや門などを抜けるが、最後にまぶしい光を目撃する。これは強烈な光となって現われる愛である。そして、第四期には、エーテル状の身体を脱して、霊的エネルギーそのものに変化する。そこで、生前の行為がすべて露わになり、その選択が問われることになる。そして最後に、「無条件の愛」に達するという。

このような死後観が、かなり眉唾《まゆつば》のものとして、まともに受け取られなかったことは想像に難くない。確かに今日、臨死体験に関する研究や報告はかなり多くあり、その中には定評があり、信頼できるルポや研究も少なくない。それに基づいて、死後の生が語られることもそれなりに行なわれている。それでも、それが本当に科学の対象となり、法則化できるか、というと、やはり首を傾げる人が多いであろう。それはなぜであろうか。

『死ぬ瞬間』に記されたような死に至る過程は、ほとんど誰でも実際に見聞することがあり、また、心理学的に見ても自然な過程である。例外やずれがあっても、ある程度標準的な段階と見ることができる。しかし、臨死体験は、どれほど多くの例を集めても、直ちにあらゆる人に当てはまるとは言い難い。そもそも臨死体験といえるほどに、仮死状態にまで至って甦《よみがえ》る例は限られているであろう。また、そのような状態に至るとしても、その表象は文化によって異なっていると思われる。日本では、死が近づくと、すでに死んでいる近親者の「お迎え」を経験する場合がしばしば見られる。しかし、特別の体験もなく、夢さえも見ないという場合も多いであろう。

さらに、臨死体験の問題は、あくまでも甦った人の体験であり、実際に死んでしまったわけではない、ということである。これは、死後を科学的に研究しようという場合にどうしても突き当たる問題である。もし第四段階まで体験して甦ったとしても、その先の本当の死の世界は体験していない。その段階までは、いわば死の前段階ともいうべきもので、そこまでは体験して甦り得るとしても、その先に進んで、もはや甦り得ない状態こそが、本当の死の世界だということもできる。そうとすれば、本当の死の世界はやはり分からないままである。

こう見ていくと、死後について語ることはいかにも困難なことであり、ほとんど不可能のように思われてくる。しかし、それではまったく諦めてしまってよいであろうか。キューブラー＝ロスの語ることは、馬鹿げたこととして、一顧だにしないのが適当なのであろうか。しかし、それでは結局近代合理主義に逆戻りするだけでしかないであろう。死者との関わりを認めるならば、このような死後の世界についての探究もまた、まったく無視し去ることはできない。それでは、死後の問題をどのように考えたらよいのであろうか。

オカルト科学としての心霊学

先走らずに、もう少し『人生は廻る輪のように』によって、キューブラー＝ロスの場合を見てみよう。彼女は単に客観的な研究者として臨死体験の事例を集めただけではなかった。彼女自身が神秘体験をしているのである。彼女は幽霊にも出会っているし、体外離脱の体験もしている。そうした体験や研究を重ねるうちに、Bという霊と交信するチャネラーに出会う。それをきっかけに、霊の物質化したセイレムというソウルメイトが見えるようになり、また、ペドロという守護霊も現われる。こうしてついにサンディエゴにヒーリングセンターを開設するに至る。

こうした経緯を見ると、彼女は普通にいう科学を逸脱して、超心理学的なオカルト科学としての心霊学の領域にすっかり入り込んでいることが知られる。それは、信奉者にとっては絶対の真理でありながら、外の人間にとっては相手にならない、そればかりか危険を伴う擬似科学としか見えない。実際、やがてBが交信する霊の言葉にネタ本があることが分かり、それをきっかけに、次々とBの言動に怪しく疑わしいところが出てくる。ついには、生命の危険に脅かされ、不在中の家が不審火で全焼した。そうした不穏な事件がBと関わりがあるのかどうか分からないままに、Bとの縁を切ることになる。だが、だからといって、霊的世界の探訪から離れたわけではなかった。ヴァージニアに移って、エイズ患者の救済に奔走し、二〇〇四年に七十八歳で亡くなる最期まで、霊的世界への信頼を喪《うしな》うことはなかった。

幽霊、霊媒、漠然とした気配、夢の中……

このキューブラー＝ロスの例を見れば、死後の探訪は、それだけ切り離すことができず、霊的世界の問題、そしてその霊的世界との交信という問題にまで広がっていくことが分かる。これは、次章で見ていく十九世紀のオカルト的な心霊学の中心的な問題とまったく重なり、それがそのまま引き継がれているのである。しかも、その心霊現象が、多分に巧妙ないかさま詐欺によるものであったことも、ほとんどお定まりのパターンである。けれども、そのいかさまを超えて、彼女自身が霊との交信を続け、それを信じ続けたのも事実である。死者や死後の問題は、事実と虚構のはざまに展開されるのである。

ここでは、このようなキューブラー＝ロスの思索や体験を手掛かりに、死後の世界や霊的世界を哲学的にどのように扱ったらよいか、という観点から、もう少し考えてみたい。これまで考察してきたところから、私たちは死者との関わりということを認めなければならないことは、分かった。しかし、死者やさらにはそれを超えた神仏などとの関係は、必ずしも彼らが現実に何らかの姿をとって出現するということを意味しない。

確かに幽霊のような姿を取って出現することもあろうし、また、霊媒を通して現われることもあるかもしれない。しかし、そのような事実的な出現は必然的な前提ではない。じつをいえば、私自身はそれほど具体的な死者の出現に遭遇していない。それでも、漠然と気配を感じることはあるかもしれないし、夢の中に現われるかもしれない。あるいは、まったくの不在が逆に不気味さをもって迫ってくるかもしれない。もっとも普通には、先に述べたように、「儀礼」という形式化された場所はもっとも死者との関わりを安定した形で成り立たせる。そして、長い年月のうちには、死者は私の生き方の一部となって、他者でありつつ他者性を喪っていくかもしれない。例えば、「私の父は私の中に生きている」というように。

しかし、どのように出現しても、あるいは出現することがなくても、かつて存在して、今不在なる者としての他者との関係は必然的なのである。不在なる見えざる者と関係せざるを得ない矛盾にこそ、死者との関わりのもっとも重要な点がある。その矛盾ゆえに、死者や死後の問題は、時にはとんでもないいかさまの種ともなり得るのであり、いわば事実と虚構のはざまに展開されるのである。

死者論を認めない哲学的系譜

この点から、先にも触れた言葉の問題をさらに深めて考える必要がある。公共の言葉が通用しないということは、公共の言葉で語ろうとすれば、どうしても矛盾が出てきてしまうことを意味する。矛盾することは語り得ないことだ、と語ること自体を拒否することも一つの道である。そのことをもっとも厳密に主張したのが初期のウィトゲンシュタインであった。彼は『論理哲学論考』(一九二二)において、無矛盾的に構成される世界の論理構造を明らかにして、「語り得ないことについては沈黙しなければならない」と主張した。「語り得ないこと」というのは、無矛盾的な言説の体系の範囲に入らず、真偽を明らかにできないような命題である。死者や霊性に関する言葉はこの範疇に入る。したがって、それについて語る言葉は無意味である。

ただし、そのような領域がないというわけではない。ウィトゲンシュタインによれば、その領域は命題として「語る」ことはできず、ただ「示す」ことだけが可能だというのである。つまり、死者や霊的世界は、あるかもしれないが、言語的に語られるものではなく、そういう領域がある（かもしれない）として、指示されることだけが可能ということになる。このような発想のもとは、カントの『純粋理性批判』（一七八一）における純粋理性の弁証論に遡る。カントは、純粋理性の無制限な応用を誡《いまし》め、その適切な使用のために、可能性の限界を定めようとした。その中で、霊魂などについての命題は矛盾をきたし、成り立たないことを明らかにした。こうして、カント－ウィトゲンシュタインの系譜を認める限り、死者や霊性の議論は成立しないことになる。

だが、それでは死者や霊性に関する語りはまったく成り立たないのであろうか。カント－ウィトゲンシュタイン系の言語は、私たちが見てきたところでは、公共性の領域の言語に相当する。そこでは、基本的に命題の真偽は確定する。それに対して、他者と交わす言語、あるいは他者についての言説は、決して成り立たないわけではない。確かにはっきりと真偽が確定できるわけではないが、だからといって無意味と切り捨てるわけにもいかない。ウィトゲンシュタインならば「示す」ことしかできない、というはずの事象に関して

「語る」ことが実際に行なわれていて、それを認めないわけにいかない。

「死に近づいた子供は蝶の絵を描く」

それでは、そのような他者に関する言語は、どのように特徴づけ、どのように扱えばよいであろうか。キューブラー＝ロスは「象徴的言語」という用語を用いる。死に近づいた子供たちは、しばしば蝶の絵を描くという。これは、死が肉体からの解放として自由に羽ばたくということを予感しているからだという。そのような絵が象徴的言語であり、それは必ずしも通常用いる言語ではない。そうした表現を広くは「象徴的言語」と呼ぶことも可能であり、その中にはこのような非言語的表現も含まれるであろう。あるいは、詩的言語や儀礼における呪的言語も含まれよう。本書では、公共性と他者を対比してきたから、ここでも「公共言語」に対して、それを「他者言語」と呼ぶことにしたい。

その中でも問題になるのは、公共言語とほぼ同じような文章で、一応は意味を取ることもでき、一見公共言語と見紛うような言語である。例えば、霊媒や霊的存在が語る言葉である。そんなものは特殊だといわれるかもしれないが、そうはいえない。歴史的に見れば、例えば親鸞《しんらん》は、若い頃に悩んで京都の六角堂にお籠りして、夢に聖徳太子の化身である救《く》世《せ》観音の示現《じげん》を得て、お告げの言葉に従って法然《ほうねん》の門に入った。そのような例は枚挙に遑《いとま》がない。それは、本人には意味が分かるが、第三者には真偽が判定できない。

あるいは、死者や霊的存在の出現を第三者に報告する言葉もまた、他者言語に属するだろう。それは第三者に向けた言葉で、本人だけが分かるというわけではない。第三者にも意味は分かる。それでも公共言語のように真偽を決することが難しい。キューブラー＝ロスがソウルメイトや守護霊について語る言葉は、その種類のものである。本人にとっては真であっても、第三者にとっては真偽が決め難い。もちろんBがしたように、仕掛けを使ったいかさまもあるであろう。今日でも、いろいろな有名人の守護霊が現われて語り出し、それを盛んに本にしている霊能者もいる。どこまで信じられて、どこまでいかさまか、それは一概にはいえないが、確かに明らかにいかさま的に見えるものも多い。

天使論、アビダルマの輪廻論と同様に

けれども、キューブラー＝ロスのような場合も、それで全否定してしまっては、その言説の中に含まれているさまざまな可能性をすべて捨て去ることになる。それ故、他者言語は、真偽を直ちに決められなくても、真摯なものであれば、そのような可能性があるもの

として、注意しながら扱っていくのが適切と思われる。そのような資料をも哲学的な考察の範囲に収めることで、従来、行き詰まり、やせ細っていた哲学の世界が、一挙に拡大し、豊かな可能性を示すことになるであろう。西洋中世における天使論、仏教哲学におけるアビダルマの輪廻論なども、そのような種類の言説である。近代の合理主義哲学で消されたそのような他者言語の復権こそ、今後の哲学の行方を示す道といわなければならない。

最後に、なぜこのような死者－霊性論が問題になるかということについて、もう一点指摘しておきたい。キューブラー＝ロスの死者－霊性論は、それだけで隘路《あいろ》に入り込むような議論ではなかった。彼女は、死者や霊との交信をベースにしながら、それ以前からの課題であった死に臨んだ人たちのケアを続けるとともに、さらには当時原因不明のままに恐れられていたエイズ患者の救済へと邁進する。このように死者や霊的なる者との交信は、公共的な次元を離れてしまうのではなく、社会的、公共的な問題への積極的な対応を促すのである。この点も、本書のこれからの大きな課題となるので、ここにあらかじめ注意を促しておきたい。

3　霊性という問題圏

ここで、「霊性」という言葉を定義しておこう。先に公共性の領域と異なる他者の領域を考えた。広くいえば、この他者領域のうち、第二層の死者や第三層の神仏の領域を霊性の領域と考えることができる。もっとも、霊性という言葉は、安易に使うと危険なところがあり、私はこれまでの著作でこの言葉を使うことを避けてきた。まず、その点から確認しておきたい。

霊性はスピリチュアリティの訳語として多く用いられる。近代において、「霊」はキリスト教において「聖霊」として用いるのが代表的で、三位一体の一として、人々の心を愛で満たし、神へと向けるはたらきを示す。このように、キリスト教と深く結びついて理解される。しかしまた、十九世紀以来のスピリチュアリズム（霊性主義）の運動は、次章に述べるように、反キリスト教的な心霊主義を意味するようになった。仏教側では、鈴木大《だい》拙《せつ》の『日本的霊性』（一九四四）が典型的な用例である。しかし、このように、「霊性」という言葉はやや特殊なニュアンスを含む言葉であり、それ故、私としてはこれまで避けてきていた。

もともと「霊」は漢語としてもしばしば神霊とか、霊妙などと用いられ、精気が集まってもっとも優れたはたらきを示すものを意味した。「霊性」という言葉も用いられる。仏典では、九世紀の華厳宗の宗密《しゅうみつ》が、「はじめに唯一の真の霊性があり、不生不滅、不増不減、不変不易である。衆生は無始以来迷妄の状態にあるから、それを自覚しない。覆い隠されているので、如来蔵《にょらいぞう》と名づける」（『原人論《げんにんろん》』）といっている。「霊性」（仏教的な読み方では「れいしょう」）というのは、如来蔵と同義で、私たちの心の奥に隠されている不生不滅の本体ということになる。宗密は、華厳と禅を結び付けた特異な思想家である。この「霊性」が輪廻するという説もある（永明延寿《えいめいえんじゅ》『宗鏡録《すぎょうろく》』巻三九、成立九六一）。また、ほぼ同義で、「霊知」という言葉も用いられる。これは、通常の知を超えた、霊妙な叡知であり、「霊性」の「知」のはたらきを強調したものである。

このような「霊性」説を正面から厳しく批判したのが道元《どうげん》であった。道元は、「弁道話《べんどうわ》」などにおいて、このような「霊知」「霊性」は、仏教では認められない永遠の実体的な本体の存在を説くものであり、「先尼外道《せんにげどう》」と同じだというのである。「先尼外道」というのは、先尼（セーニャ）という名の外道（仏教からそれ以外の教えを批判的に呼ぶ言い方）であり、それ故、仏教として認められないというのである。仏教の立場は、あくまでも無常・無我であり、あらゆるものは常に変転し、永遠不変の実在などない、というのが原則である。「霊性」を用いる立場も、必ずしもそのような大原則に反する絶対的な存在を意味するわけではないと考えられるが、「如来蔵」を認めるかどうかは、今日でも大きな議論がある。それ故、仏教内でも認められるかどうか、難しい問題を孕《はら》む言葉をあえて使う危険を考えて、避けてきたというのも、私が「霊性」を用いなかった一つの理由である。

WHOで見送られた「霊的」

もう一つ、「霊性」については、厄介な問題がある。WHO（世界保健機関）では、健康について、「健康とは、肉体的、精神的及び社会的に完全に良好な状態であり、単に疾病又は病弱の存在しないことではない」と定義している。即ち、肉体的と精神的と、もう一つ社会的という要因について、健康であることが達成目標とされる。ところが、それにもう一つ「霊的」（スピリチュアル）ということも加えるべきだということで、一九九八年の総会で議論されたが、見送られた経緯がある。これはイスラーム圏の伝統医療の立場から提案されたものであった。日本でも賛成する向きもあり、宗教研究者の間でも議論になったが、私は反対の立場であった。日本人の感覚や慣例からして、霊的な健康ということは不自然のように思われる。「あなたは霊的に不健康だから治療しなさい」などと言われても、とまどうであろう。

こうしたさまざまな経緯から、「霊的」とか「霊性」という言葉には警戒感を持っていたし、使わなくても特に問題ないと考えていた。しかし、本書ではあえて用いることにした。一つの理由は、キューブラー＝ロスの場合はもちろん、さらに次章で考察する心霊学や神智学をも考察の対象に加えていくと、「霊性」という枠を用いるのが好都合と考えられるからである。

死者たちの「場所」

もう一つは、より積極的な理由である。これまで、死者や神仏などの霊的存在を他者として考えてきた。他者は公共の場をはみ出すが、その外に他者の領域を考えるべきであろうか。これはなかなか厄介である。死者や神仏は空間のどこかにいるのであろうか。3章に示した図では、公共性を楕円で描き、それを囲んで他者の場所があるかのように描いたが、もちろんそれは便宜的な表現であり、実際にそのような場所があるわけではない。空間的に場所を設定したら、それはもう公共的な枠の中に取り込まれたことになってしまう。その枠をはみ出し、場所の崩壊の中に出現するのが、他者である。しかし、それでは常に生者は死者たちの不意の出現の危険に曝《さら》されることになるから、死者や神仏と関係する場所を設定するようになる。それが寺院や神社である。

それでは、死者や神仏がいつもいる場所は考えられるのであろうか。そもそも存在するかどうかも分からないのであるから、そのような場所を確定することはできるはずがない。そうではあるが、死者や神仏の場所は、歴史の中でさまざまに構想されてきた。天国かもしれないし、極楽浄土かもしれない。あるいは黄泉かもしれない。また輪廻して他に生まれ変わっているかもしれない。お墓の近くにいるかもしれない。どのような形態であるかは不明だが、死者たちの「場所」が構想されるのは、それはそれで不自然なことではない。

6章では、死者のあり方を日本の伝統の中で捉え直してみたい。それは、伝統的には「顕」に対して「冥」と呼ばれる。しかし、そのような用語は、必ずしも今日広く使われるものではない。そこで、それをもう少し一般化した表現として、上述のようなスピリチュアルな領域をも念頭において、あえて「霊性」という用語を用いてみたい。仏教的にいえば、法身《ほっしん》、法界《ほっかい》などと呼ばれる領域に相当するであろう。瞑想の中で入りこんでいく世界であり、それを奥深くまで探究していくことが可能な世界である。そのような領域をひとまず「霊性」の領域と呼ぶことにしたい。それがどのような領域か、次章以後、順次明らかにしていきたい。

5章

死者と霊性的世界

——神智学を手掛かりとして

1　死者−霊性の時代としての近代

先にも述べたように、西洋近代といえば、まさしく普遍性を要求する理性の立場が確立された時代であり、それを模範として、日本をはじめとするアジア諸国も近代化を目指した。それは合理的思考に基づいて自然や社会を考察し、自由・平等などの普遍的な理念を確立した時代であった。それに基づいて、フランス革命などを経て近代的な市民社会ができ上がる。十八世紀末から十九世紀に至ると、科学が大きく発展し、さらにそれが機械技術に応用されて産業革命を起こし、生産力が一気に増大する。それと同時に、社会的矛盾が拡大して労働者の貧困が問題になり、また、西欧世界を越えて帝国主義的侵略と植民地化に拍車がかかっていく。

哲学の面では、カントの理性批判に立つ自我論を受けたドイツ観念論は、ヘーゲルにおいて頂点に達する。絶対精神の自己発展として描かれた壮大で総合的な体系は、まさしく近代の完成ともいうべきものであった。非合理をも包摂する弁証法によって、世界の構造は解明し尽くされ、理性の勝利が謳《うた》われる。だが、それは同時にその崩壊の始まりであった。

十九世紀後半には、マルクスとニーチェという二人のアカデミズムの外の哲学者によって、ヘーゲルでひとまず完成に達した近代哲学の解体作業が始まる。マルクスは、近代科学の合理性を継承して宗教を批判する唯物論の立場を取りながら、近代が作り出した社会的矛盾を革命によって解消し、近代以後の新しい社会主義の到来の必然性を描いた。それに対してニーチェもまた、ある面では近代の人間主義を徹底する形でキリスト教を批判し、近代のみならず、キリスト教によって主導されてきた西洋哲学全体を否定して、ニヒリズムへと突き進んだ。

やがて、二十世紀になると、マルクスの流れからは、まさしく実際にこれまでの国家を否定して、革命を起こし、新しい社会主義国家が成立する。他方で、ニーチェのニヒリズムの系譜は、ナチスとも関わりつつ、現象学と結びついてハイデガーからデリダに至る今日の哲学の一つの主流を形成していく。

ひとまずこのように図式化できよう。十九世紀の後半は、科学技術の驚異的な進展とともに、キリスト教が批判され、それによって近代そのものが乗り越えられようとしていた時代と見ることができる。もちろんキリスト教批判は、フランス革命の頃から出ていたから、その点からすれば、十九世紀後半のポスト近代は、同時に近代のキリスト教批判の完成の時期ということもできる。だが、科学の発展とキリスト教への疑念は、宗教批判から無宗教のニヒリズムや唯物論へと進むだけではなかった。キリスト教がそれでなくなるわけではなく、近代合理主義を取り入れた自由神学や、非神話化を推し進める新しい神学が形成され、カトリックにおけるスコラ哲学の再構築なども併せて考えると、逆に宗教復興の時代と見ることもできる。

さらに通常の思想史、哲学史ではともすれば見逃されていることがある。この時代に、それまで正統的なキリスト教では封印されていた死者や心霊が、キリスト教の強制力の弱体化とともに新しい形で表に出てくるのである。それがオカルト主義や心霊主義として、まさしくこの時代に隆盛に向かうことになる。そのような流れは、ともすれば近代の中に迷い込んできた前近代の残滓《ざんし》として、無知蒙昧な連中の迷信と見られ、唯物論やニヒリズムと並ぶような哲学的な潮流とは考えられなかった。しかし、キューブラー＝ロスの例を見ても分かるように、じつはこの時代のオカルト主義や心霊主義が、現代まで大きな影響を及ぼしているのであり、それを無視することはできない。この後検討する神智学も、まさしくこのような流れの中で大きく発展するのである。

そこで、十九世紀の心霊主義やオカルト主義について簡単に見ておきたい（以下は、吉村正和『心霊の文化史』、二〇一〇、によるところが大きい）。

ハイズヴィル事件——超常現象の盛り上がり

十九世紀の心霊主義の大流行は、ハイズヴィル事件に始まる。一八四八年、アメリカのニューヨーク州の小村ハイズヴィルで、フォックス家の三姉妹の末妹ケイトが霊との交信の能力があることが発見された。彼女が問いかけると、霊が物音（ラップ音）で応えるようになり、やがて次姉マーガレットも交信を始める。次第に評判を呼んで、一八五〇年にはニューヨークに拠点を移し、単なるラップ音での交信だけでなく、さまざまな霊能力を発揮するようになる。盛んに降霊会を開いて、すっかり人気者となった。ところが、一八八八年になると、彼女たちは一転してそれらの心霊現象がすべてトリックを用いたものだと告白して、大きな衝撃を与えた。しかし、その告白もまた、金につられた嘘だとか、諸説が分かれ、真相はついに分からないままに終わった。

このハイズヴィル事件は、いわばきっかけに過ぎなかった。それ以前からぼつぼつと現われていた超常現象が、この事件によって一気に盛り上がり、市民権を獲得するようになった。降霊会が盛んに催され、テレパシー、透視（千里眼）、自動筆記、空中浮遊などの超能力者が、次々と評判を取るようになった。中にはすぐに化けの皮の剝がれるような人もいたが、大学での実験が繰り返され、心霊学として学問的な研究対象ともなっていった。

当時のアメリカでは、新しい科学技術は、産業革命とともに目覚ましい成果を挙げ、物質的な幸福を享受できるようになっていた。その一方で、科学によってキリスト教に疑念が持たれるようになり、併せて開拓時代の禁欲的で厳格主義のキリスト教の束縛が弱まりつつあった。その精神的枯渇状態を癒《いや》すために、新宗教に類するさまざまな運動が起こされていた。その中で、心霊主義は、キリスト教を否定するわけではないが、神の力を介さないで超自然と交信するものであり、そのメカニズムは科学的に解明され得ると考えられた。即ち、宗教と科学の合致が可能な領域であり、それ故、知識人や上流社会も安心して関わることができたのである。

メスマーの動物磁気説——科学と擬似科学の間で

さまざまな科学の領域がようやく確立されつつある時代であり、とりわけ人間に関する自然科学的研究がさまざまに模索されていた。その中で、心霊学と密接に関わるような医学、心理学などの諸分野で、さまざまな仮説が立てられ、その有効性が論争の種になっていた。その中でも人気があったのは、メスマーの動物磁気説であった。当時、電気や磁気の研究が大きく発展した中で、メスマーは動物の中にも独特の磁気が流れていて、その流れが妨げられることで、さまざまな病気が生ずると考えた。その治療のために催眠術を用い、骨相学に基づいて頭蓋を操作するという骨相メスメリズムが流行し、それが心霊術と結びつくことになった。また、ダーウィンの進化論自体が大きなセンセーションを引き起こしたが、それに対して、同じように進化論を提唱したウォーレスは、自然界の進化と別に、人間の場合は霊的進化があり、それは死後に達せられると説いて、心霊学に近づいた。

このような説は、確かに今日から見て擬似科学的であるばかりでなく、当時でも動物磁気説は科学者から批判を浴び、擬似科学的な扱いを受けていた。その一方で、信奉者も少なくなかった。よく考えてみると、科学と擬似科学の間には、それほど決定的な線が引けるわけではない。とりわけ人間の心に関する問題は、どこまで定量化できるか難しい。それは、今日の代替医療が、医学として成り立つか、それとも単なるいかさまか、ボーダーラインに立つのと似ている。

ちなみに、日本へも心霊学は導入され、東京帝国大学助教授の福来友吉《ふくらいともきち》が霊能者の女性の念写や透視の実験を行なったが、トリックのあることが暴露されて、退職に追い込まれた(一九一一)。いわゆる「千里眼事件」である。このように、心霊現象は真偽が定かでなく、多分にあやしい事象が多い。しかし、前章のキューブラー＝ロスの場合に見られるように、完全に否定するにはもったいない貴重な内実を持っている場合も多い。精神分析で有名なユングも、こうした心霊学と密接に関係しているし、心霊現象から豊かなインスピレーションを得た芸術家は少なくない。そのような観点から再評価が不可欠である。なお、この後考察する神智学は、このような心霊主義と密接に関係するが、心霊主義を超えて、より高次の霊性論の展開を目指している。後述のように、イギリスの心霊研究協会が、ブラヴァツキーの超能力をトリックを使った虚偽と判定するなど、両者の間には越え難い溝が生ずることになった。

十九世紀欧米で発展した東洋学

神智学を考える上では、もう一つ重要な十九世紀の思想学術動向がある。それは、東洋学の発展である。ともすれば近代は欧米に始まり、それを非欧米地域が模倣したものとのみ考えられがちである。確かに産業革命以後の欧米の発展は目覚ましく、欧米と非欧米の格差ははっきりしている。そのことは事実であるが、ではまったく近代化は一方通行のみであったのか、といえば、それは間違っている。すでにヴォルテールなどのフランス啓蒙主義は中国の儒教の倫理学の影響を大きく受けていて、それはライプニッツなどにも及ぶ。また、ヘーゲルと同時代に、ショーペンハウアーはインド哲学や仏教の影響を大きく受けて、独特の厭世《えんせい》主義の哲学を形成した。その影響はニーチェにも及んでいる。

こうした東洋哲学の知識は、欧米によるアジア進出と植民地化の中で、アジアに関する多数の情報や文物とともにもたらされた。その情報をもとに、欧米の東洋学は十九世紀に大きく発展し、ほとんど全盛時代といっていいほどの隆盛に達した。そこにはいくつかの理由が複合している。

何よりもまず、当然ながらもっとも根本の理由は植民地、とりわけインドから多数の写本がもたらされたことが挙げられる。未知の言語で書かれた膨大な資料は、研究者にとって挑戦すべき大きな対象となった。もちろん、それは単なる興味の対象というだけではなく、植民地支配の上でも不可欠である。植民地インドの古典を研究することは、植民地の民情を理解し、それに応じた支配方法を確立する上で必要であった。

しかし他方、研究の方法としては客観主義的な文献主義が用いられた。ちょうどこの頃、ギリシア・ローマの古典を対象として厳密にテキストを研究する文献学が盛んになっていた。これはまさしく自然科学の客観的厳密さを人文学に応用したものである。ニーチェが最初ギリシア文献学から出発したことはよく知られている。この客観学としての古典文献学の方法をインド学、さらに広く東洋学に応用したのである。即ち、言語学的研究と併せて、基本テキストの諸写本を校合《きょうごう》して校訂本を作成し、それを読解する作業がアカデミズムの研究者の間で進められた。十九世紀後半に校訂されたサンスクリット語テキストで、今日でも用いられているものは多い。サンスクリット語の辞典もまた、十九世紀に編集されたモニエル＝ウィリアムズの『梵英辞典』（一八七二、改訂版一八九九）が今でももっとも広く使われている。このようなインド文献学の方法は日本の仏教学にも導入され、今日に至るまで正統的な方法とされている。

東西融合の思想・文化の可能性

もっとも、東洋学は単に文献学に終わるものではなかった。それまでは、宗教といえばキリスト教以外にはなかったし、他の地域の宗教や哲学は、所詮は原始的なもので、キリスト教によって克服されるべきものと考えられていた。しかし、一方でキリスト教の絶対性が揺らぎ、他方でこうして多数の優れた哲学・宗教の文献が現われると、それらの価値をもう一度見直さなければならなくなる。はじめて本格的に比較宗教学を確立したマックス・ミュラーは、『東方聖書』全五十巻（一八七九—九四）を刊行して、アジアの諸宗教の聖典の翻訳を集成した。

こうした学問成果を受け入れる階層も次第に形成されてきた。キリスト教に満足できない知識人層や比較的裕福な階層が、東洋に関心を持つようになった。東洋趣味とか、東洋の神秘などが流行し、東洋の美術品が買い漁られた。いわゆるジャポニズムもこのような中で生まれてきたものである。確かに、十九世紀の東洋学、そして東洋趣味は、サイードによってオリエンタリズムと批判されたように、一見客観性を装う東洋学にしても、広く受け入れられた東洋趣味にしても、その底には差別的な偏見が流れていたが、それでも、西洋だけに満足できなくなったことは、重要である。そこに、いささか奇妙な形であっても、東西融合の思想や文化の可能性が生まれてくる。それがまた、東洋に逆輸入されて、東西のキャッチボールが成り立つ。神智学はまさしくその代表的な形態ということができる。そこには、従来考えられてきた西欧独自の合理主義的近代と異なる「もう一つの近代」の可能性がうかがわれることになる。

2　心霊学を超えて

神智学は、ヘレナ・ペトロヴナ・ブラヴァツキー（一八三一―九一）によって創始されたが、毀誉褒貶定まらず、自ら語る奇想天外な生涯もどこまで真実か分からない。真実と虚構のない混ぜになった、まさしく心霊主義の時代にふさわしい霊能者であった。H・P・ブラヴァツキー、ブラヴァツキー夫人、H・P・Bなどと記される。

現在のウクライナで生まれ、ドイツ系の貴族を父とし、母はロシアの名門出身の小説家であったが、ヘレナが十二歳の時に亡くなった。一八四九年、アルメニア地方の小さな県の副知事ニキフォル・V・ブラヴァツキーと結婚。二十歳以上年の離れた結婚はすぐに破綻して、数箇月で出奔するが、生涯にわたって、ブラヴァツキー夫人の名を棄《す》てなかった。

その後長い間世界の各地を放浪するが、その具体的な旅行の過程は分かっていない。ただ、その間にチベットに七年間滞在して「大師」（マハトマ）という霊能者の教えを受けたという。これは真実かどうか疑問視されているが、彼女の思想がインドの宗教や、とりわけ仏教と深い関係にあることは事実である。

ブラヴァツキーの活動が明確になるのは、一八七四年にアメリカに渡ってからである。ここで、ヘンリー・スティール・オルコット大佐（一八三二―一九〇七）と知り合い、一八七五年に神智学協会を設立し、オルコットが初代会長に就任した。ブラヴァツキーはこの地で最初の大著『ベールをとったイシス』（一八七七）を出版し、科学とキリスト教を批判しながら、神智学の体系化を図った。その中で、心霊術を批判したことから、心霊主義者たちと対立することになる。

天才的な霊能力者ブラヴァツキー

アメリカでの活動に行き詰まり、一八七九年には活動の拠点をインドに移し、一八八二年に本部をアディヤール（チェンナイ南部）に定めた。ヒンドゥー教の改革運動グループであるアーリヤ・サマージと協力しながら、ヒンドゥー教や仏教の影響を大きく受け、その思想は東洋的な方向性を強めた。一八八〇年にはセイロン（スリランカ）で、オルコットとともに仏教の在家戒を受けて、仏教徒であることを公式に示した。

ところが、彼女の「大師」との交信がトリックによるものだと告発され、一八八四年にはイギリスの心霊研究協会のホジソンによる報告書において、欺瞞《ぎまん》と結論付けられた。詐欺師として糾弾される中で、彼女は主著となる巨冊『シークレット・ドクトリン』（一八八八）に心血を注ぎ、最後はロンドンで没した。

このように、ブラヴァツキーは、心霊主義の時代背景の中から出発しながらも、心霊主義とは一線を画し、降霊術によって出現する霊は低次のものとして、その乗り越えを図った。即ち、本来の霊魂はより高次のものと考え、そこにヒンドゥー教のアートマンや仏教の涅槃《ねはん》を結び付けた独自の霊性論を開拓して、新しい哲学の道を開いた。それは、科学と宗教・哲学を総合し、また東西の叡智を統合しようというきわめて野心的なものであった。

それが、これまで十分な評価を得なかったのは、何よりも毀誉褒貶が甚だしく、詐欺師という当時の決めつけが、その後も尾を引くことになったことがあるであろう。実際、例えば『シークレット・ドクトリン』は、『ジャーンの書』という最古の叡智の書の注釈という形を取っており、それだけで怪しげで、敬遠される。しかし、ニーチェの主著『ツァラトゥストラはかく語りき』（一八八三―八五）が、ゾロアスター教の開祖の言行録という形を取っていることを考えると、仮託書という形式がそれほどおかしいともいえないであろう。

また、彼女のアーリア人優越説がナチスにつながるなどの批判も、もちろん留意する必要があるが、ニーチェもまたナチスに利用されているのであり、それだけで彼女の全体を否定することにはならないであろう。『シークレット・ドクトリン』の後に書かれた『沈黙の声』（一八八九）は、鈴木大拙が称賛したと言われるように、大乗仏教の実践論として評価できるように思われる。

仏教復興に尽力したオルコット

ところで、神智学というと、直ちにブラヴァツキーに結び付けられるが、多彩な人材が集まり、その裾野はきわめて広い。その中でも、彼女とがっちりとコンビを組んで、神智学協会初代会長として、神智学の興隆の中心となったオルコットは、彼女とはかなり肌合いが異なる。もともとアメリカのカルヴァン派の一派である長老派の信者の厳格な家庭に育ち、軍人として大佐にまで昇進し、弁護士としても活動するなど、世俗的にも地位を得て活動している。

ブラヴァツキーとともに、セイロンで正式に仏教徒となったが、ブラヴァツキーが必ずしも仏教に捉われずに、東西融合の独自の思想を構築していくのに対して、オルコットはどこまでも仏教の復興に主眼を置いて、スリランカ仏教の近代化に尽力した。スリランカの仏教復興の中心となり、スリランカの近代仏教の確立者とされるアナガーリカ・ダルマパーラ（一八六四―一九三三）にも大きな影響を与えた。ブラヴァツキーが詐欺師呼ばわりされて評判を落としたのに対して、オルコットはスリランカ仏教の父として、銅像も建てられてその栄誉を受けることになった。『仏教カテキズム』（『仏教問答』、一八八一）は、上座部仏教の入門書として、今日でも高い評価を得ている。

社会運動家として傑出したベサント

神智学協会の第一世代の後を受けた第二世代の中心が、アニー・ベサント（一八四七―一九三三）である。ベサントもまた、長い精神遍歴の末に神智学に行きついた。アイルランド系のイギリス人としてロンドンに生まれ、イギリス国教会の聖職者フランク・ベサントと結婚し、二子を得たが、キリスト教に疑問を持つようになって離別した。反キリスト教の政教分離運動の英国世俗化協会を率いていたチャールズ・ブラッドローと同居して、運動を推進したが、その後、作家のバーナード・ショーと親しくなって、社会主義のフェビアン協会に加わり、マッチ工場の女性労働者のストライキを指導して、成功させた。フェミニズムやマルクス主義の運動にも関わっている。

一八八九年に『シークレット・ドクトリン』の書評を頼まれて、ブラヴァツキーに会ったことから、神智学に傾倒し、その信頼を得た。彼女の没後は、オルコットとともに指導的地位に立ち、彼の没後、一九〇七年に第二代の神智学協会会長に就任した。チャールズ・W・レッドビーター（日本ではリードビーターと表記されてきた）が新たな協力者となり、ジッドゥ・クリシュナムルティを次代の指導者にすべく、養子にして英才教育を施したが、それに対して批判を浴び、クリシュナムルティも最後は離反した。ベサントは、インドの民族自治運動を推進し、自らインド国民会議派の議長ともなった。また、バナーラス・ヒンドゥー大学の設立にも努めた。

このように、ベサントはブラヴァツキーとは対照的である。ブラヴァツキーが霊的世界の開拓へとひたすら突き進んだのに対して、ベサントはもともと社会運動家としての活動に傑出しており、インドでも政治・教育活動に邁進した。そのことは、神智学が単に閉鎖されたオカルト主義者の特異な運動ではなく、公共的分野でしっかりした成果を生み出す力を持っていたことを証する。後述のように、それは平和な文化的世界を築く世界的な運動にも深い影響を与えることになる。

非西洋や女性たちが担ってきた神智学

本書は哲学的問題を扱うことが課題であるが、ここではいささか神智学の形成と展開を歴史や伝記に立ち入って扱った。それは、今日いまだに正統的な哲学運動として評価されていない神智学の位置づけを明らかにするために必要だったからである。神智学は、ブラヴァツキーという天才的な霊能力者が、流行現象としての心霊主義を乗り越えて、古今東西の叡智との交信によって開いた広大な霊的世界をベースとする。それが既存の哲学・宗教に飽き足らない人士を集め、多様な方向に広がっていった運動である。本書では立ち入らないが、シュタイナー教育で有名なルドルフ・シュタイナーも神智学から出発して、そこから分かれた一人である。

すでに述べたように、神智学は二重の意味で従来の「近代」の観念を打ち破る。従来考えられてきた「近代」は、合理主義的な現世主義を特徴とし、それは西洋の枠の中で独自のものとして形成されたとされてきた。それに対して、神智学は十九世紀という近代の真っ只中に生まれたにもかかわらず、否定されたはずの死後や霊性的世界の開発を目指すものであった。

同時に、それは決して西洋に閉ざされた思想ではなく、東西が融合し、相互に影響し合う中で展開したものであった。そうとするならば、近代は決して欧米だけが独自に作り、それをアジアは受け身になって受け取ったというだけではない。近代は、もっと両者の関係が緊密にやり取りするダイナミズムの中に形成されたのではないか。そして、そのような運動の根底を作ったのが、神智学による霊性的世界の開拓だったのではないか。それが、ここで提起したい問題である。

それは、従来考えられてきた「近代」、即ち、日本がひたすら追いかけ、追いつこうとしてきた「近代」と大きく異なる。日本が真似しようとしてきた西洋近代は、所詮は表層だけに過ぎず、その深層のもっと大事な部分を見逃してきたのではなかったか。その異なる可能性に、改めて目を開く必要があるのではないか。それが本書で主張したいことである。

なお、本書では十分に取り上げられなかったが、さらに神智学が注目される点として、女性が中心になって活動してきたことが挙げられる。その偉大な源泉であるブラヴァツキーはもちろん、継承者であるベサントをはじめ、多くの女性たちがその運動の中核を担ってきた。表層の近代が西洋の男性に独占される中で、神智学は深層にあって、そこから追いやられた非西洋や女性によって、霊性論を深めることになったのである。

3 新たなる普遍性

そこで、神智学が開いた霊性的世界の一端を垣間見たいが、その巨大な源泉であるブラヴァッキーの著作は、あまりに茫漠《ぼうばく》として壮大にすぎ、その全貌を捉えるのは容易でない。欧米でも、神智学が一般に広く知られるようになったのは、ブラヴァッキーの著作ではなく、その協力者シネットの『オカルト世界』(一八八一)や『秘教的仏教』(一八八三)によってであったという。後者の原題は、エソテリック・ブッディズムで、今日では密教の訳語として用いられるが、本書の内容は、まったく神智学の概要であり、どこが仏教なのか不思議であるが、当時の読者にはそれが仏教の霊性論として受け取られたのである。

ブラヴァッキーの体系は、大枠として雄大な宇宙生成論と人類進化論を持っている。そこには、ヒンドゥー教や仏教の宇宙論が反映されていて、それはそれで興味深く、また重要な問題が提起されているが、ここでは立ち入らない。また、そこには人類の進化が説かれ、アーリア人がもっとも進んでいるというアーリア人優越論が説かれる。これは、後にナチスとも結びつく要素となるが、神智学がインドと深い関係を持つようになった理由でもある。インドと欧米とは、同じアーリア民族という点で結びつく。

このように当初は人種主義が強かったが、その後次第に普遍主義的な立場を打ち出すようになった。神智学協会の目的として、一八八七年の段階では、「人種、信条、肌の色で差別されない、人類の普遍的同朋愛の核を構成すること」としながらも、「アーリア人種その他の東洋の文学、宗教、科学の研究を促進すること」と、アーリア人種が特別視されていた。しかし、一八九六年の改訂で、第一条が、「人種、信条、性別、階級、皮膚の色にとらわれることなく、人類の普遍的同朋団の核となること」、第二条が、「比較宗教、哲学、科学の研究を促進すること」と改められて、今日に至っている。ブラヴァツキーの没後、アーリア人優越論が弱まり、普遍主義的な方向が強くなったことが知られる。

古代の叡智を現代に蘇らせる

ブラヴァツキーの継承者ベサントもインド自治運動との関係の中で、アーリア人の優越を説いて、インドの民族主義を鼓舞しているところがあるが、どちらかというと普遍主義的な立場が濃厚である。彼女が神智学の立場に立って日の浅い頃の著書『古代の叡智』

（一八九七）を見ると、宇宙論や人類進化論はあまり重視していない。その序章は、「あらゆる宗教の根底にある統一」と題され、世界の諸宗教の根底に存する共通性を指摘する（同、九頁）。それは以下のようなものである。

（1）永遠、無限で、認識不可能な一つの実在。
（2）そこから顕現した神が、一体から二体、三体へと展開。
（3）顕現した三体から、多くの霊的知性体が生まれ、宇宙の秩序を形成。
（4）人は顕現した神の反映であり、内的な真実の自己は永遠で、宇宙の自己と一体。
（5）人は欲望によって輪廻を繰り返す中で進化し、智慧と犠牲により解放される。

今、これらの内容の検討はさておくが、それはある意味では比較宗教学的な考察ともいえる。実際に時代的にも比較宗教学や比較神話学が成立した時代であるから、その刺激を受けていると考えられる。先に挙げた神智学協会の目的の改訂でも、「比較宗教」ということが大きく掲げられていた。

しかし、ベサントは、このような共通性を諸宗教の比較により帰納的に導き出したものとは見ない。つまり、諸宗教の最大公約数的な共通性を学問的に抽出していくわけではない。そうではなく、もともと源泉が一つなのだと考える。即ち、「大宗教の開祖たちは、一つの同朋団のメンバー」（同、七頁）だったからだという。それは現在の人類以前に由来するのである。神智学は、このような古代の叡智を科学の時代である現代に蘇《よみがえ》らせようというのである。

このことは、荒唐無稽の話のように思われるが、諸宗教が根本において一致するという捉え方は、十分に考慮に値するように思われる。それも単なる表面上の一致ではなく、もっと深く潜在的レベルまで沈潜した時に、いずれの宗教にも共通する根源的なものが露わになるというのである。だからこそ、それは「顕教」ではなく、「秘教」なのである。神智学はその根源を今の人類に先立つ、はるかなる過去に求める。7章で考察するように、宗教の言葉が、単にコミュニケーションを意図したものではなく、とてつもない他者から贈与された言葉であるということを考えると、それを過去において捉えようとする神智学の見方も、まったくおかしな考えとはいえないであろう。

あらゆる宗教に共通する深層構造の解明

ところで、神智学協会が普遍主義を掲げ、人類の諸宗教すべてに共通する発想を見出そうというのは、結局は近代の啓蒙の普遍主義の延長ではないか、といわれるかもしれない。確かにそのよい面の積極的な継承であることは間違いない。しかし、啓蒙の普遍性は西洋によってのみ到達されたものとされ、それを非西洋地域は受容するだけだという一方通行的な普遍性であった。宗教に関していえば、（肯定するにせよ、否定するにせよ）キリスト教が前提とされていた。それに対して、神智学の普遍性は欧米とアジアの共同性の上に形成され、人類の諸宗教に同等の価値を認める立場に立っている。その点で、啓蒙主義に由来する普遍性とは大きく異なっている。

さらに、啓蒙の普遍主義が人間理性に基づいているのに対して、ここではそのような人間中心的な普遍性ではない。人間を超える大きなものから贈与された智慧の普遍性である。後述のように、宗教的な言葉は人間の公共性において成り立つものではなく、根源的な他者から贈与された言葉に拠るのであり、普遍性の根拠はまったく異なっている。

それとともに注目されるのは、「神智学徒になるのには、キリスト教徒や仏教徒やヒンドゥー教徒であることを止める必要はない」(『古代の叡智』、六頁)という点である。このことは、神智学が既成の宗教を否定したり、それらと異なる教えを新たに提示したりするのではないということを意味する。

ベサントは、神智学の立場を取る以前は、反キリスト教主義を標榜し、『キリスト教――その証拠、起源、道徳、歴史』(一八七六)というキリスト教批判の書を著わしていた。それに対して、神智学の立場から書かれたキリスト教論である『秘教的キリスト教』(再版一九〇五)は、キリスト教を否定するのではなく、表面の顕教的なキリスト教の奥に、秘教としての真実のキリスト教があると主張している。即ち、神智学が志すのはあらゆる宗教に共通する深層構造の解明である。表面は異なっていても、あらゆる宗教はその深層において構造的に一致するという理解である。

4 死後と霊性的世界

本書は、死者の問題を中心に置きながら、霊性の問題を深めていくことを意図している。神智学に関して、いささか前提的な問題を論じてきたのは、神智学の中核をなす死後と霊性的世界の見方を取り上げるための準備であった。ここで、その問題に立ち入ることにしたい。神智学は死者の霊と交信する心霊主義から出発しながら、それを超えた霊性的世界を開拓し、理論化していく。それ故、死者と霊性の問題はその根幹をなすことになる。

ここでは、ベサントの著作を見ていくことにしたい。神智学者は、誰もがブラヴァツキーの『シークレット・ドクトリン』をもとにして、その体系を理解している。したがって、大筋はほぼ一致しているが、それぞれ著者によって論じ方が微妙に異なっている。ベサントは、ブラヴァツキー没後、未完であった『シークレット・ドクトリン』第三巻を編集刊行するなど、彼女の正統的な後継者を自任している。しかし、ブラヴァツキーのような強烈な霊能力はなく、むしろその説を合理化して、分かりやすく説いているので、その点では扱いやすい。

ベサントは、『古代の叡智』でも死後の問題を中心に置いて論じている。ただし、やや議論が錯綜して分かりにくいところがあるので、ここでは入門的な小冊子『死とその後』（一八九三）を用いて、その死後論を考えてみたい。

その理論によると、この世界は七つの層から成っている。下から、物質層、アストラル層、メンタル（マナス）層、ブッディ層と次第に登っていき、その上にさらに三層がある。

神智学の世界構造

7			
6			
5	(アートマン層)	アートマン	
4	ブッディ層	ブッディ	涅槃
3	メンタル(マナス)層	マナス	デーヴァチャン
2	アストラル層	カーマ	カーマ・ローカ
1	物質層	プラーナ、エーテル体、肉体	

ちなみに、ベサントは上のほうの層に関しては関心が薄く、『古代の叡智』でもあまり論じられていない。これらの層と関連して、人を構成する要素も以下の七つからなっている(神智学にとって、「七」は神聖な数である)。

不死の三つ組　：アートマン(霊我)、ブッディ(覚体)、マナス(知性)

無常なる四要素：カーマ(愛欲)、プラーナ(生命体)、エーテル体、肉体

いささかややこしくなるので、世界の階層と人の構造の関係を表にして上に示しておく。

インド哲学の用語で理解する

不死の三つ組と無常なる四要素とは、マナスによって結合され

ている。マナスは高次マナスと低次マナスからなり、低次マナスはカーマと結びついて中間的な役割を果たす。人の死後、無常なる要素は下のものから次第に切り離されてなくなってゆく。その構造は次頁のように図示できるであろう。

見慣れない言葉ばかりでややこしく、それだけで荒唐無稽な怪しげな説のように見られがちである。確かに、アストラル層とかエーテル体とかいうと、いかにもこけおどしの捏《ねっ》造《ぞう》された世界観のようで、到底まともに取り上げる価値がないように思われるかもしれない。しかし、必ずしもそうとはいえない。

じつは一読してわけの分からないように見える多くの術語はインド哲学の用語から採られており、それが分かれば、十分に意味が通ずる。アートマンは、『ウパニシャッド』以来、人間の中核にある不死の霊魂であり、アートマンが宇宙の根本原理であるブラフマンと一体化することが究極的に目指される。ブッディは根源的な思惟機能であり、サーンキヤ哲学では世界が展開する最初に現われる精神的原理である。マナスは一般的に心的な原理を意味する。

死によって崩壊する四つの原理のうち、肉体は問題ないであろう。エーテル体は、身体に伴う霊体的なもので、生命原理であるプラーナの容器となっている。死後しばらくは遠

人の構造

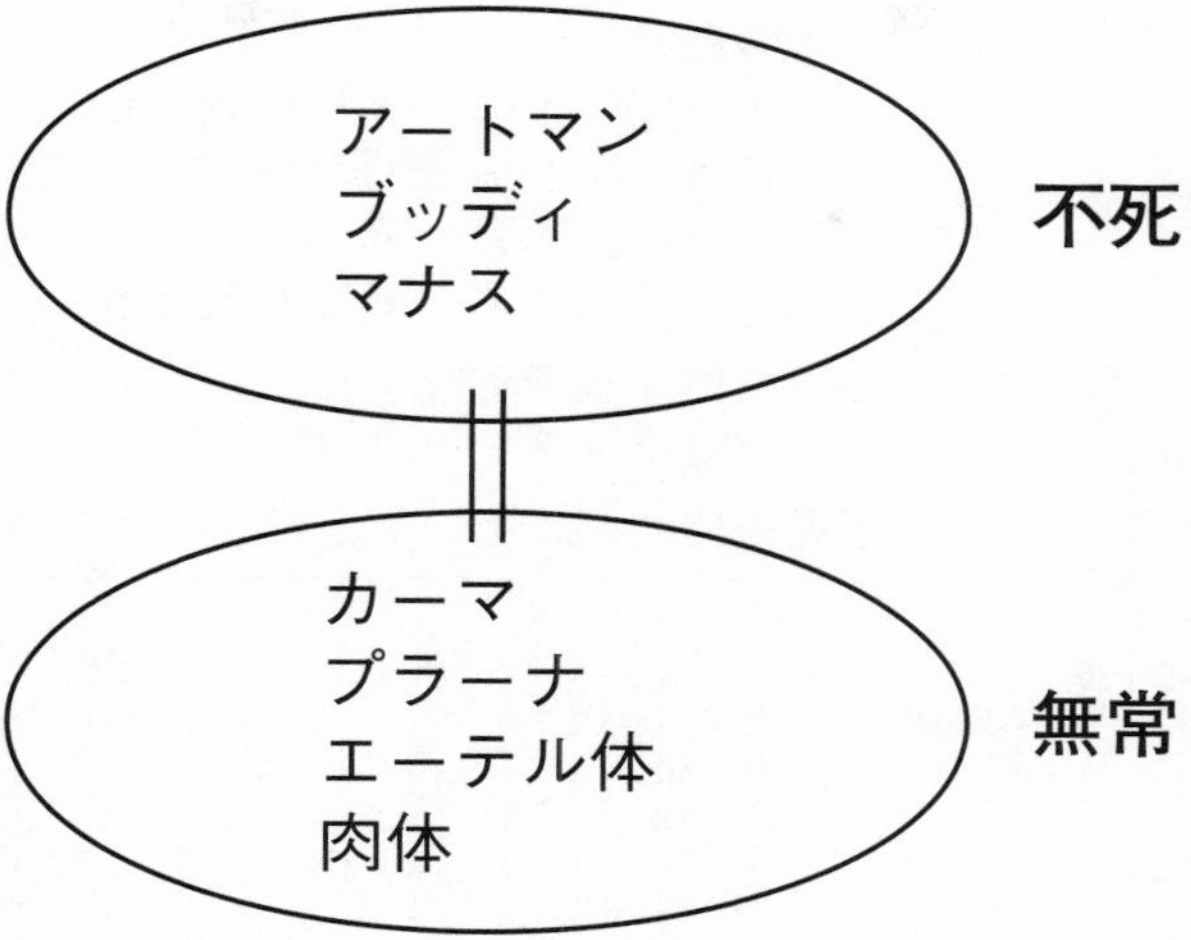

く離れず、肉体の近くに留まる。幽霊のようなものは、多くはこのエーテル体である。エーテルは当時の物理学の用語で、世界に充満している不可視の物質を意味し、光が伝わる媒体と考えられていた。

　プラーナは、サンスクリット語で呼吸を意味する生命原理である。ギリシア哲学のプネウマに相当する。プラーナは容器であるエーテル体がなくなると、個体性を失って、宇宙生命に溶け込んでいく。通常いわれる死は、それによって最終的に確定する。

　カーマはインド哲学で性欲や情念、欲望、情動などに関わる原理である。

神智学における死

通常の死	肉体の滅 エーテル体(プラーナの容器)の滅 プラーナ(生命原理)の離脱 カーマ界への生誕 　カーマ体＋不死の三つ組
第二の死	カーマ体からの離脱 デーヴァチャン(神界)へ
輪廻	不死の三つ組がカーマと結合

世俗生活ではその充足が求められるが、仏教などの宗教では、そのような煩悩《ぼんのう》を否定し、滅することで、高度な精神的自由を獲得できるとする。神智学の体系でも同様に考えられ、カーマは低級な動物とも共通するとされる。

魂の死と輪廻、死者との交信説

カーマ体（カーマ・ルーパ）は死後もすぐには滅びず、不死の三つ組とともに残る。カーマ体はアストラル物質からなり、流動性を持っている。アストラルというのは、もともと天の星のことであるが、それが人間に反映された心的エネルギーを意味する。カーマ体が入るアストラル層のカーマ界（カーマ・ローカ）は、一種の煉獄《れんごく》のような場であり、まだ地上の影響の範囲内にある。ここで欲望が浄められ、不死の三つ組はカーマ体から離脱する。ここに留まるのは、数日のこともあれば数世紀の場合もある。このカーマ界にいる間は、地上の人との交流が可能である。

そこで浄められた不死の三つ組は、「第二の死」によってカーマの身体を脱ぎ捨て、メンタル（マナス）層のデーヴァチャン（神々の居場所、神界）に入る。ここは純粋な思考界であり、天国のような場所であり、不死の三つ組はデーヴァチャンの住人（デーヴァチャニー）として生まれる。デーヴァチャンの住人は、低い次元では過去の地上の生の個人性に制約されるが、次第に永続的な愛との合一化へと向かう。

デーヴァチャンでの生は十─十五世紀続くが、やがてまた感覚的・物質的な生が恋しくなり、カーマと結びつき、輪廻することになる。輪廻の繰り返しの中で次第に進歩し、もはや輪廻のないブッディ層のニルヴァーナ（涅槃）を目指すようになる。それは輪廻のサイクルの終わりであるが、誤解されるような意識の無化ではなく、宇宙の新たな活動の中に戻ることである。

以上が、個人の魂の死と輪廻に関して、『死とその後』に見える神智学の基本的な構造である。

それでは、生者はいかにして死者と交信できるのであろうか。まず、死んですぐ、エーテル体に包まれているうちは、非身体的な原理はいまだ地上の引力の影響下にあるので、特殊な条件下では死者が出現することもあり得る。しかし、この状態では交信は不可能であり、沈黙したまま幽霊として現われる。

次に、カーマ界にいる状態では、アストラル体をまとっており、霊媒の肉体を使うことで、生きている人と交信することが可能である。ここまでの段階では、死者は身体性を持ってリアルな形で現われる。心霊術で現われるのは、この段階である。

デーヴァチャン（神界）の段階に入ると、愛する人はいつも意識の中にあり、交信している。ベサントは、「墓を超えた愛は、幻想といわれるかもしれないが、魔術的、神的な能力を持っていて、生きている人にはたらき返すことができる」と言う。交信は目覚めている時よりも、夢の中のほうが容易である。デーヴァチャンの住人は、地上の愛する人を助けるような思念を送り、守護霊のようにはたらくこともある。ここに至ると身体性を失い、純粋な精神の交わりとなる。死者との高次の精神的な交流が実現するのである。

神智学の死後観

ベサントの小著はさらにさまざまに議論を展開しているが、今はこれ以上立ち入らない。けれども、以上の概要でも大体の議論の方向は理解できよう。それは一見複雑で、怪しげだが、検討していくと、インド哲学や仏教の発想を取り込み、死後のあり方や死者との交流の問題まで深く考えられていることが分かるであろう。

その複雑に見える世界構造も、ヒンドゥー教や仏教の死生観や世界構造論を念頭に置けば、それほどおかしいものではない。仏教の世界観では、十界互具説のところで説明したように、生命体は十界の階層構造をなしているが、それはまた、須弥山《しゅみせん》を中心とした空間的な立体構造をなしている。とりわけ天界（神々の世界）は、欲界（欲望の世界）・色界《しきかい》（欲望はなくなったが、物質性が残る世界）・無色界（物質性もなくなった世界）という三層構造（三界《さんがい》）をなしている。そのような世界観を考えると、神智学の階層的世界観も必ずしも荒唐無稽とはいえない。また、輪廻の説や生者と死者の交信の可能性の議論も、西洋哲学の伝統では不可解でも、東洋的な発想からすれば、十分に成り立つものである。キューブラー＝ロスのような霊界との交流もまた、この枠の中で考えることができるであろう。

もちろん、神智学の死後観をそのまま認めるわけではないが、そこには重要な問題が提起されている。その死後観は決して抽象的に考えられたものではなく、生者と死者の関わりという具体的な現象のあり方のレベルがもとになっている。死後すぐの期間の生々しさから、次第に死者は変化して精神的なレベルで生者を支え、助ける存在へと転化していく。

それは、民俗学的見方に従えば、「アラタマ」（新魂＝荒魂）から「ニギタマ」（和魂）への変化ということができる。それを死者の世界の構造論という観点から捉えれば、アストラル層のカーマ界から、メンタル層のデーヴァチャン（神界）へ、ということになろう。

そこに、魂の輪廻と進歩という問題が絡む。生者が描く理想は、この一回の生の中では完結しない。それは、はるかなる過去世からどこまで続くか分からない未来世に向かっていく。その際、インド的な発想だと、個体としての輪廻が無限に近く繰り返される。それに対して日本人の発想だと、個体性は比較的早い段階で解消されると考えられる。もちろんそのどちらが正しいか、問うことはあまり意味がないであろう。ただ確かなことは、現世が現世だけでは成り立たないということである。

生者は死者と関わりながら、自らもやがて今度は死者として生者と関わっていくことになる。他者としての死者の世界は曖昧で、さまざまな描き方が可能であろう。神智学の冒険は、近代におけるその一つの実験であったということができよう。

東西の垣根を越えた霊性主義的動向

近代を脱宗教、脱呪術の合理主義の時代と見るのは、ごく表層の一部分だけを見ているに過ぎず、もはやそのような見方は通用しない。近代においても、深層の豊かなイマージュの世界が枯渇したわけではない。カントも重視したスウェーデンボルクなどにその先駆が見られ、神智学もその継承と見られる。彼らの説は、十九世紀の植民地との交流の中から生まれ、東西の精神的習合（シンクレティズム）の上に成り立っている。十九世紀の霊性主義的動向は、東西の垣根をやすやすと乗り越えていた。確かに、そのアジア宗教観は、吉永進一が指摘するように、「似て非なる他者」であって、「これでも仏教か」といえるような理解も多い（『神智学と仏教』、二〇二一）。しかし、それは逆に見れば、日本から見た西洋近代も、「似て非なる他者」であっただろう。

「似て非なる他者」同士が、手探りに相互に関わりながら、未来を築いていくとき、そこに何が生まれるのか。そこに見えるのは、決して平板な普遍性ではないであろう。だからといって、相互理解をはじめから拒否したポスト近代の力と力のぶつかり合いしかない、と即断することもできない。相互に誤解しつつも、東洋と西洋が相互に学び合い、融合しようと試みた神智学の営為に敬意を払いつつ、矛盾に満ちた思索の隘路に、さらに歩を進めることにしよう。

＊本章で用いたベサントの『古代の叡智』と『死とその後』は、翻訳がないので、英語の原著を用い、適宜翻訳を試みた。なお、両書ともにウェブ上で公開されている。

Annie Besant, *The Ancient Wisdom*, 1897.

Annie Besant, *Death—and After?*, 1893.

6章
日本の霊性論

1 消された死者論・霊性論

前章で、西洋近代を単純に合理化、世俗化の時代と捉えることの誤りを指摘し、十九世紀になって大きな動向として心霊学的な死者との交流が生まれ、そこから出発しながら決別した神智学が、アジアとの交渉の中で新しい死者論、霊性論の理論を生み出したことを論じた。ただし、アジアといってもインドを中心としていた。それに対して、日本の場合はどうであったただろうか。明治の新仏教運動などには神智学の影響もあり、オルコットの来日(一八八九)はかなりの反響を呼んだが、それが仏教や日本の思想・宗教の近代化の中核になったとは言い難い。

その理由はいくつか考えられるが、一つは、神智学はチベットへの関心は強く持っていたが、実際にはスリランカの上座部ともっとも密接な関係を持っていた。それに対して日本の仏教者は大乗の立場から反発したということがある。

もう一つは、明治維新の際に、浄土真宗の西本願寺が新政府と密接な関係にあり、真宗系が近代仏教の主導的な立場に立ったことが挙げられる。本願寺派の島地《しまじ》黙雷《もくらい》は岩倉使節団に同行して、西洋のプロテスタントの世俗主義や政教分離論を受け入れた。他方、密教は呪術的として批判され、死者論のような議論が入り込む余地がなかった。日本の仏教は、早くから優秀な若い研究者が西欧の仏教学者のもとに留学して、アカデミックな研究手法を身に付け、リードしたので、神智学的な発想が中核を占めることができなかった、という事情もあるだろう。それが、一八九〇年代になると、新たに霊魂論が注目を浴びるようになる。それについては、次節で見ることにしたい。

ここでは、その前の幕末期について考えてみたい。じつは、幕末期は死者論、霊魂論が神道の立場から提起され、大きな議論となっていたのである。かつて近代化論が盛んだった頃、日本の近世は、世俗化、合理化が進むと考えられ、そこに日本独自の近代性の発展を見る議論が盛んに行なわれた。確かに、十八世紀には、荻生徂徠《おぎゅうそらい》や本居宣長の文献学が発展し、超越的な存在を認めない合理的な世俗主義が発展したことは事実である。しかし、そのような近世の「近代化」を認めると、宣長の後の国学の新展開を示した平田篤胤やその門下が、かえって宗教性を強め、死後の世界を構想するようになったことが説明できない。そこで、平田やその門下は時代に逆行するものとして否定的な評価が下されて、その価値が認められなかった。けれども、その平田門下が明治維新を推進する中核になったのであるから、無視して済ますことはできないはずである。そこで、その点を考慮して、日本における十八世紀から十九世紀への転換を見てみたい。

新井白石、本居宣長以後

近世の初期、十七世紀には、いまだ仏教的な発想が勢力を持っていたが、その中で儒教との論争もしばしば行なわれた。そこでは、儒教が現世主義的な方向を示したのに対して、仏教は三世《さんぜ》の因果を説いて対抗した。三世の因果は、過去世の行為の結果が現世に現われ、現世の行為の結果が未来世に現われるというもので、近世を通して一般の民衆の間ではもっとも広く信じられ続けた。

しかし、知識人の間では、儒教の普及とともに、仏教の三世の因果を古臭いものとして否定する傾向が強まった。こうして、十八世紀には、来世否定の啓蒙主義的現世主義の動向が大きな力を発揮するようになった。新井白石は『鬼神論』（一八〇〇刊）を著わして、儒教的な合理論の立場から仏教の輪廻説を否定し、気の集散によって生命を説明した。また、山片蟠桃《やまがたばんとう》の『夢之代《ゆめのしろ》』（一八二〇）のように、唯物論的な立場を主張し、「無鬼」を正面から主張する思想家も現われた。「鬼」とか「鬼神」というのは、死者の霊魂やその他の神々のことである。蟠桃は西洋の科学を積極的に受け入れて合理主義の立場を貫き、まさしく同時代の西洋の啓蒙主義的無神論ときわめて近いものがある。

また、本居宣長は、死後の霊魂の行方について、古典に基づいて地下の黄泉の国に下るとして、そこは穢《けが》れたところであるが、仕方ないことだと、それ以上の霊魂論の探究を断念した。それが、宣長の弟子服部中庸《なかつね》になると、いささか変わってくる。その著『三大考』（一七九六）は宣長にも認められ、『古事記伝』（一七九〇―一八二二）の付録として出版されたが、天＝太陽、地＝地球（西洋科学により地球説は導入されていた）、黄泉＝月と、神話の構造に天体を対応させるという新しい方向性を示した。そこでは、死者の行く黄泉は月に位置づけられた。この説が、その後の国学・神道の来世に関する議論を呼び起こすことになった。

幽冥界の探究を深めた平田篤胤

十九世紀に入り、平田篤胤になると、死者論・霊界論は大きく発展する。篤胤の最初の本格的な著作は『新鬼神論』（一八〇五完成。後に『鬼神新論』として出版）であり、白石の『鬼神論』などを正面から取り上げて批判し、鬼神の実在を説いた。主著の一つに数えられる『霊能真柱《たまのみはしら》』（一八一三）では、『三大考』を批判的に摂取し、死者は黄泉に往《い》くのではなく、現世に留まるという新説を提示した。死者は墓などの近くにいて、生者のいる「顕界」からは、死者の「幽冥」は見えないが、幽冥のほうからは顕界は見えるのだという。

こうして、死者や霊界を論ずるのに、仏教的な「顕」と「冥」（後述）に代えて、「顕」と「幽」あるいは「幽冥」という対概念が中核に置かれるようになる。重要なことは、「冥」なる世界以上に、「幽」なる世界は、「顕」の世界と無関係のところにあるのではなく、両者は密接に関係しているということである。死者は生者を離れることがなく、同じ世界のすぐ近くにいて、それが生者の側からは見えないだけのことだ。両者は互いに影響を及ぼし続ける。このような生者と死者の関係は、後の柳田国男の民俗学説にも受け継がれる。篤胤は他に、キリスト教の影響を受けて、幽界の主オオクニヌシによる死後の裁きにも論及している。

このように、篤胤によって一気に死者の世界である幽冥界の探究が深められた。篤胤は、仙人の住む異界に行ったという少年からの聞書（『仙境異聞』、一八二二）や、生まれ変わった前世の記憶のある子供の記録（『勝五郎再生記聞』、一八二三）などを残している。篤胤の基本的な発想は、日本の古伝にこそ、古来のもっとも正しい教えが伝えられているというところにあり、その立場から仏教はもちろん、中国の道教、インド神話や西洋の学をも比較し、それらはいずれも日本の古伝が誤って伝わったものだと考えた。もちろんそこには日本中心主義の無理があるが、その視野が日本に限らず、世界のあらゆる宗教の根源を求めようとしていることは注目される。まさしく神智学が比較宗教学、比較神話学的な視点から、諸宗教の古形を探索したのと同様に、世界の宗教の一元的発生を考えているのであり、篤胤の場合、その源泉は日本ということになるのである。

尊王攘夷と死者論・霊性論

十九世紀の篤胤になって、死者や霊界の問題が大きくなった理由ははっきりとは確定できないが、おそらく十八世紀の啓蒙的合理主義への反動ということがあったであろう。そのおおもとは、仏教の三世因果説が知識人の合理主義の立場ではもはや維持が困難となり、それに代わる来世観が形成されていないという空白状況が考えられる。このことも、十九世紀に心霊学や神智学が起こった状況と似ている。欧米では、キリスト教の絶対性が揺らいだ中で、死後や霊性の問題を新たに解決しなければならなくなった。それと相似的な状況が日本にもあったと見ることができる。

それ故、そこには決して単に篤胤個人の偶然的な性癖に還元して済ますことができない時代的な課題があった。だからこそ、その問題は篤胤門人たちに継承され、さまざまな議論が展開した。死者論、霊性論が尊王攘夷と深く関係するところに、十九世紀の国学・神道の大きな特徴がある。

篤胤ではいまだ雑然としていて、さまざまな要素が十分に統合されていなかった霊界論を推し進め、もっとも整然とした統一的な理論を構築したのは弟子の六人部《むとべ》是香《よしか》（一七九八―一八六四）であった。一般にはあまり名を知られていないが、京都郊外の向日《むこう》神社の神官で、多数の著作を著わしている。主著『顕幽順考論』は、世界創造から人間の生誕、現世の倫理、死後の幽冥界まで、総合的に論じた労作である。そこには、多数の西洋の科学書が用いられ、キリスト教の影響も多分に認められる。

「幽冥」の世界の三審制

是香の説をもう少し具体的に見てみよう。世界創造は造化三神（アメノミナカヌシ・タカミムスビ・カミムスビ）のはたらきによる。その後、アマテラスは天界の高天原《たかまがはら》の支配者となり、「顕」なるこの世界は、皇孫である天皇が支配する。「顕」なる世界では、日本のみならず、全世界の支配者である天皇に忠誠を尽くし、君臣の大義を尽くすとともに、日常を倫理的に正しく生きることが求められる。

こうして人が死ぬと、「幽冥」の世界に入る。その世界の支配者はオオクニヌシである。人は生前の行為の善悪によって裁かれる。ユニークなのは、この裁判の最終的な決定者はオオクニヌシであるが、その前にいわば予審があることである。それを担当するのは、それぞれの地域のウブスナの神である。それをさらに、諸国の一の宮に地域の諸神が集まって確認し、最後にオオクニヌシが決定するという段階を経るのであり、いわば三審制を取っている。

幽冥界には、「神位界」と「凶徒界」があり、裁判の結果振り分けられる。神位界では、神々の世界に入ってその善政の一端を担い、凶徒界に入ると、悪神《あくじん》として災害や疫病で人々を苦しめることになる。天皇でも、生前の行為が悪ければ、凶徒界に陥ることになる。このように、幽冥界は顕界を離れるのではなく、巨大な支配構造を作りながら、顕界をも含み込んだ広大な世界を形成しているのである。

是香の死後論は、篤胤を出発点としながらも、明らかにキリスト教の影響を強く受けて、まったく新たな展開を示している。死後の裁判に基づいて、永遠に霊界での位置づけが定められる。ただし、凶徒界は必ずしも地獄的な苦悩に沈むのではなく、悪神的なはたらきを示すことになる。なお、死後の世界が現世と同じような官僚システムを持つという来世観は、中国の道教に近似したものがある。

是香の死後世界に関する構想は、興味深いものがあり、篤胤門下でも、もっとも幽界論を壮大に展開している。是香によれば、「幽冥」の世界はきわめて広く、人の誕生も寿命も、オオクニヌシのもとでムスビの神が定めるという。即ち、幽冥界は顕界を含み込むような構造になっている。アマテラスがほとんど積極的な役割を果たさないのに対して、オオクニヌシのはたらきはきわめて大きい。

トップダウン型に作り変えられた神道

もう一つ是香の特徴とすべきは、オオクニヌシの幽冥界支配が決して直接支配ではないということである。地域に根差した現場で住民と直接関わるのはウブスナ神である。ウブスナ神の役割はきわめて大きい。人の誕生や寿命も、実際にはウブスナ神が司るし、人が現世の顕界で活動する間もその背後で守護霊のように見守る。そして、死後裁判もまずウブスナ神が担当し、死後も多くの神位界の霊はウブスナ神の支配下で地域に貢献することになる。このように、是香は地域に重点を置く、いわばボトムアップ型の神道の形成を目指した。

もともと氏族をもとにした氏神―氏子関係は次第に地縁関係に変わり、近世にはそれぞれの村落のウブスナ神が氏神として、氏子である地域住民と関わるようになった。仏教寺院が家単位で菩提寺と檀家の関係を作っていくのに対して、神社は土地をベースとして地域に根差すことになった。是香のウブスナ神論は、この点を最大限生かそうとするものであったが、明治になって、神道が国家からトップダウン型に作り変えられていく中に吸収され、地域の神社は天皇の祭祀を住民に押しつける機関に変えられていった。

ここでは国家神道の問題に立ち入ることはしないが、是香のような広大な霊界論と地域定着を目指す可能性はつぶされてしまう。是香の霊界論は、それで十分完成されたものとはいえない。とりわけ死者が二分化されて振り分けられると、その結果が永遠に持続するというのは、いささか無理がある。しかし、それを批判的に発展させれば、神道の霊界論には大きな可能性があったはずである。だが、それが実現することはなかった。

国家につぶされた大本教の霊界論

明治国家に関わった津和野派の神道は、大国隆正の影響下に、幽冥よりも顕界に重点を置いていた。最終的には、伊勢のアマテラス派と出雲のオオクニヌシ派の争いが、天皇の裁定で伊勢派の勝利に終わり、オオクニヌシの霊界支配論は抹殺され、死後論はタブー化されていく。死後の世界もアマテラスが支配するとされるが、その具体的な探究は禁止される。神道の中で唯一死後の問題に関わったのが靖国神社であり、戦争の死者が護国の神霊として祀られることになった。また、その壮大な霊界論は、大本教の出口王仁三郎《おにさぶろう》の『霊界物語』(一九二一―二九)などに受け継がれるが、それも国家によって徹底的に壊滅されることになった。

このように、その後ほぼ完全に軌跡を消され、その継承が見えなくなってしまったが、確かに日本の十九世紀にも、欧米と同じように死後と霊性を求める新たな近代があったのだ。近代は決して合理化、世俗化の時代とばかりはいえない。さらに中国や他の地域も検討しなければならないが、かなりグローバルな形で、近代の裏側にはこのような死後と霊界の探究があったのではないだろうか。もう一度それを再評価する中から、新たな霊性論の構図を呼び出していかなければならない。

2　霊魂論の近代

こうして近世末の死後論・霊性論は抹殺され、日本の近代は、表面的には死者も霊性もない、無味乾燥な現世主義の中で、ひたすら富国強兵の道を突っ走ることになった。だが、本当に消えてなくなったのだろうか。じつはそうも簡単にいえない。それは、十九世紀末の一八九〇年代から二十世紀のはじめにかけて展開された霊魂論争があるからである。ここではもはや神道は議論から撤退して、関わらない。主としてキリスト教や欧米の新知識を学んだ学者と仏教者との間で交わされる。

そもそも「霊魂」という言葉自体が、確かに中国古典に出典はあるものの（『楚辞』など）、伝統的には、仏教でも儒教でもあまり用いられない。ただ、幕末の神道の死後論になると、是香の書にも多少出てくる。しかし、おそらくはそれが一般化するのは近代になって、キリスト教によって広く用いられるようになってからであろう。キリスト教がその教義の中核として霊魂不滅論を掲げたことと、もう一方で無神論、唯物論の流れが入り込んできたことから、その議論が仏教側にも及ぶことになったと考えられる。即ち、欧米におけるキリスト教対唯物論の論争が持ち込まれるとともに、日本では仏教が参戦することで、キリスト教対仏教、唯物論対仏教という三つ巴の論争になった。

ところが、この論争もまた、当時は大きな論争だったはずなのに、その後、思想史の上から消されて、その意義は十分に検討されていない。これも不思議なことだが、日本の主流の「近代化」の観念の中には、霊魂の問題、即ち、死後や霊性の問題は入ってこなかったということであろう。

唯物論からの霊魂否定説

日本にとってのキリスト教は、あたかも欧米にとっての仏教と同じような役割を果たすものであった。欧米のキリスト教が信頼を失い、それまで知られなかった仏教に関心が向けられたのと同様に、日本では仏教が腐敗した過去の遺物と見なされ、キリスト教、とりわけプロテスタントが新時代の文明を担った新鮮な宗教として導入された。しかし、日本人にはなじみの薄い教理をどう定着させるかは、なかなか難しい問題であった。

霊魂不滅論は、唯一神やキリストの贖罪《しょくざい》の観念とともに、キリスト教の核心をなす教理であった。しかしまた、科学的に論証できないことから、科学主義的な唯物論からは批判を受けており、日本で納得できる理論を提供できるかどうかは、なかなか難しい問題を孕んでいた。

国立国会図書館の検索で、霊魂不滅をテーマとする単独の著作として最初にヒットするのは、田村直臣の『霊魂の不滅を信ずる理由』（一八九〇）である。田村の霊魂不滅論は、キリスト教教理の穏当な紹介であり、霊魂不滅を信ずる理由として、道徳的観点からの必要性を論じている。キリスト教の原則論ともいえよう。ちなみに、田村が英語で書いた『日本の花嫁』（一八九二）は、日本の男尊女卑を批判するものであったが、植村正久らによって、日本を侮辱的に描いていると糾弾され、牧師資格を剝奪されるに至っている。

唯物論の側からの霊魂否定説としては、二つの方向性がある。一つは自由民権運動の側から唯物論へと進んだ中江兆民であり、その遺著『続一年有半《ぞくいちねんゆうはん》』（一九〇一）の中で、「余は断じて無仏、無神、無精魂、即ち単純なる物質的学説を主張するのである」と、無神論・無霊魂論を主張している。もう一つは、体制側からの啓蒙家・加藤弘之の挑発であり、兆民以上に宗教界に大きな衝撃を与えた。

加藤はもともと明六社の一員の啓蒙思想家として、天賦《てんぷ》人権論の立場に立っていたが、社会進化論を採用して、強権的な国家主義に転じた。東京大学総理・帝国大学総長として、大学行政にも腕を振るい、貴族院議員・帝国学士院長にも就任した。加藤は、キリスト教にも仏教にも批判を加えたが、論評「仏教ニ所謂善悪ノ因果応報ハ真理ニアラズ」を『哲学雑誌』一〇〇（一八九五）に発表して、仏教の三世因果説を痛烈に批判した。その理由は、自然の因果と道徳上の善悪は次元が異なるのに、道徳上の善悪に自然の因果の法則を適用する点で両者を混同しているからだというのである。

『哲学雑誌』は、東京帝国大学の哲学科の雑誌として、哲学界の最先端を行くものであり、そこに学界の大御所が正面から批判を加えたのであるから、その衝撃は大きかった。ただちに徳永（清沢《きよざわ》）満之《まんし》が同誌上で反論するなど、仏教界からの反論が相次いだ。しかし、仏教側も、古い三世因果説をそのまま通用させることはさすがに困難であり、自己弁護しつつも、新しい道を探らなければならなかった。「霊魂」の問題に、仏教側も参戦したのは、このような理由によるものであった。

清沢満之の議論

真宗大谷派の論客である清沢満之は、新進の宗教哲学者として、これ以前に『宗教哲学骸骨』（一八九二）を出版しているが、その中心的問題は霊魂論であった。同書の第三章は文字どおり「霊魂論」と題されている。霊魂に関する諸説として、素朴に霊魂の実在を認める霊魂有形説、最終的に唯物論に帰着する霊魂無形説を批判し、霊魂を自覚の本体とする霊魂自覚説を採用している。霊魂は、進化しなければならない。その進化は、親子関係を通してなされてゆくのではなく、一人の個体が一体貫通して進化し、有限なるものが無限に近づいていくのであり、そこに三世の時間性が必要になるというのである。

清沢の説は、いわば三世の因果に新しい哲学の衣を着せようとしたものである。自己が進歩していくためには、現世に限らない時間が必要になるというのは重要な観点である。けれども、どうも落ち着きが悪い。それというのも、仏教の場合、何といっても根底に無我説がある。これは、インド哲学で自我の根本に立てるアートマンという永続的な実体的霊魂を否定するものである。それ故、死を越えて持続する霊魂を単純に認めることは難しい。仏教は永続的な実在としての霊魂を否定しながら、しかも輪廻を認める。迷妄なる煩悩が固まって輪廻するのであり、その状態から解脱することが目指される。それ故、単純に霊魂の実在を認めることはできないはずである。ところが、当時の仏教側の論者は、キリスト教や西洋哲学の土俵に上って、霊魂を論じようとした。そうなると、どうしても仏教の特徴が見えにくく、議論として十分な発展性を持たないものになりがちであった。

ただし、清沢の議論には、有限なる私たちが無限なる仏といかに関わるかという他者論的な問題が含まれており、これは晩年の精神主義期にさらに深められることになる。また、輪廻を繰り返しながら発展し、有限なるものが無限に近づいていくという発想は、輪廻を新たに積極的に意味づける論として注目される。キリスト教側でも、柏木義円の『霊魂不滅論』(一九〇八)は、心霊の進化こそ重要として、死後さらに心霊が発展していくという観点から、霊魂の不滅が論じられている。死後にも続く発展という観点は、キリスト教のように死後を生者と無関係のものとして扱うよりも、仏教のように輪廻しながら生者と関係していくと見るほうが理解しやすいように思われる。発展的な輪廻論は、神智学にも見られた。輪廻の問題はさらに後ほど考えたい。

表舞台から消された死者

霊魂論は、実質的には死後論であり、来世論であった。「近代化」を急ぐ日本の社会で、どれだけそれがリアルな問題として受け止められたであろうか。新しい仏教を目指す新仏教徒同志会では、宗教界・学術界などの著名人に来世の有無に関するアンケートを試み、百通以上の返事を得て、『来世之有無』（一九〇五）として出版した。巻頭で、加藤弘之は「僕は、どう考へても、来世があらうとは思はれぬ」と、明快に否定している。論者たちは、肯定説、否定説、中間説、無回答などに分かれるが、忽滑谷快天《ぬかりやかいてん》、平井金三《きんざ》などは論文ともいえるほどの長文の返答を寄せている。平井は否定的、忽滑谷は子孫が続いていくことが来世への再生だとしている。このように、仏教者でも来世に否定的な論者も多く、新仏教徒同志会の中心となる一人境野黄洋《さかいのこうよう》も、「来世はないものだ」と断定している。来世肯定派も、多くは自宗の伝統を墨守するという以上には出ていない。

こうして死後という問題は、次第に表立った議論から消えていく。仏教は生者のためのもので、死者のためのものではない、という言明が、盛んになされるようになる（おそらく、その最初は日蓮主義者・田中智学《ちがく》ではないかと思われる）。私自身が仏教を学んだ半世紀ほど前でもなお、葬式仏教は民衆教化の方便であり、本来の仏教はいかに生きるかという問題だと、専門家でさえもいっていたのである。近代は死者が表面から消されていく時代であった。にもかかわらず、戦争の死者の問題だけは、どうしようもなかった。忠霊塔、忠魂碑などの形でその慰霊や顕彰が次第に活発化し、その中核に靖国神社の英霊が位置することになるのである。

3　中世の死者論・霊性論へ

以上、近世・近代日本における死者論・霊性論の展開を見てみた。しかし、この問題は、いうまでもなく中世にこそもっともリアルな問題として受け止められていた。私自身、死者論・霊性論を考えていく上で、日本中世の見方をモデルにしながら、理論構築をしてきた。3章に述べたように、公共性の領域を「顕」、他者領域を「冥」と呼ぶのも、中世に用いられていた用語を転用したものである。上述のように、近世末の神道では、「顕」と「幽（冥）」というセットを用いるが、その議論は十分に展開されないまま、中断してしまった。それ故、中世をモデルとするほうが十全な議論ができるように思われる。中世思想のベースとなるのはもちろん仏教であるが、それに留まらない神道の問題も絡んでくる。

「顕」と「冥」という言葉は、中世にはしばしば出てくる。「顕」が表に現われた世界であるのに対して、「冥」は暗く見えない世界である。「冥途《めいど》」あるいは「冥土」は死者の世界として仏典でもしばしば使われる。

「顕」と「冥」の対で歴史を説明しようとしたのは、摂関家に生まれ、天台座主《ざす》として、源平の合戦の時期に国家の行方に心を砕いた慈円《じえん》であった。慈円は『愚管抄』（一二二〇頃）において、日本の歴史を七段階に分ける（同、巻七）。第一段階は、「冥顕が和合して道理が道理として通る」時代であり、「冥」と「顕」が和合して道理のとおりにはたらいていた理想状態である。第二段階は、「冥の道理は次第に変化していくが、顕の人はそれが理解できない状態」で、次第に「冥」の神々の道理と「顕」の人とが離れていく。そのような状態が、時代を追うにつれてますます顕著になっていくというのである。

見えざるものの世界を重視する

このように、慈円の歴史観は下降史観で、次第に時代は悪化していく。慈円は百王《ひゃくおう》説を受け入れる。王朝は百代で絶えるというのである。すでに八十四代にまで至り、残りは少なくなっている。今や権力は武士の手に渡っている。それではどうすればよいのか。慈円は決して悲観論者ではない。たとえ残り少なく見えても、適切に対処していけば、持続していくことができる。そもそもが天皇家と摂関の藤原家とは、その祖先神であるアマテラスとアマノコヤネとの契約によって、君臣の関係が成り立っている。それをきちんと継承し、武家もまたそれに加えていくことで、新しい秩序を築くことができる。それが慈円の歴史観である。

慈円は、下降史観に立ちつつも、だからといって手をこまぬいて、放置するしかない、といっているのではない。人間のはかり知ることができない「冥」の秩序に随順しながらも、その中で可能な限り力を尽くしていくことで、未来を切り開いていくことができるという。「冥」の秩序は目に見えない。しかし、それを無視することは、大きな災厄を招き、社会の混乱を招く。「顕」の世界の秩序が成り立つためにも、「冥」の世界を畏れ、随順していくことが不可欠である。

見えざるものの世界を、見えるもの以上に重視するのは、中世人の智慧である。「冥」の領域は「顕」の領域を包み込んで、より広い。幕末に六人部是香が到達した世界観は、ある意味では中世的な世界観の形を変えた再発見ともいえるものであった。ここでは、もう一人、中世の重要な思想家である親鸞を取り上げて、さらに考えてみよう。

自利と利他を目指す菩薩の理念

親鸞は、法然を師として浄土の教えを受け継ぐが、浄土とは何かということに関して、改めて思索を深めた。主著『教行信証』は、教・行・信・証・真仏土《しんぶつど》・化身土《けしんど》の六巻から

親鸞の往相・還相構造

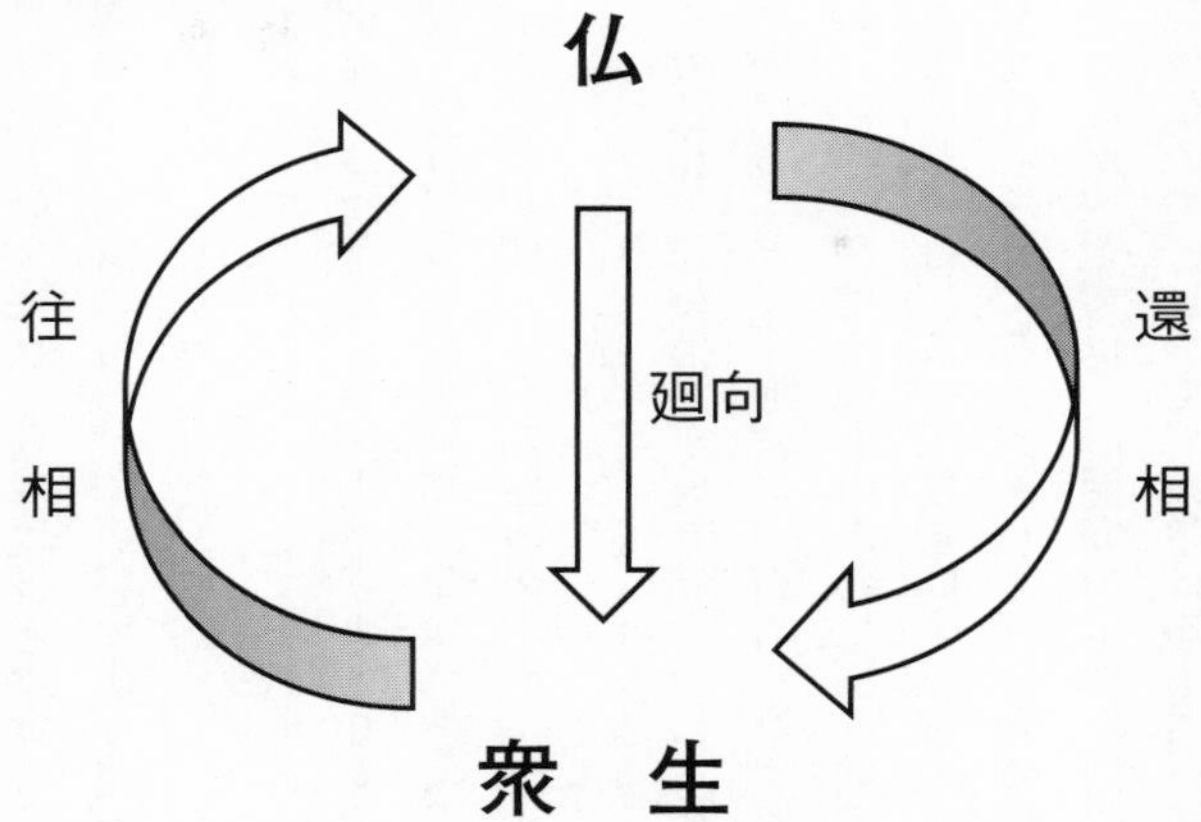

なるが、その基本構造は、往相廻向《おうそうえこう》と還相《げんそう》廻向の二種廻向である。往相というのは、この世界から浄土に行くことであり、還相は浄土からこの世界に戻ってきて衆生救済に努めることである。

今日、しばしば誤解されるように、浄土への往生は、行ったまま戻らない一方通行ではない。むしろ目的とするところは、そこから戻って衆生救済を果たすところにある。自利のみならず、他者救済という利他を目指すのは、仏教では菩薩といわれ、大乗仏教の根幹をなす実践である。そのことは後ほど8章で詳しく考えてみたい。ここで重要なのは、ともすれば現世から来世への一方通行のみが強調されがちな浄土教を、親鸞はあくまでも菩薩の実践という観点から、現世と来世の往復運動として捉えていたということである。

親鸞は、当時の打ち続く災害の中で人々が苦しみあえいでいるのに、自ら何もできない無力に打ちひしがれた。親鸞にとって、浄土に行くことは決して自分のためではなかった。それによってパワーアップして、苦しんでいる人たちを救うことこそが目的であった。この世界から断絶された浄土は、まさしく死者の世界であるとともに、仏の世界であり、それ故、生者からうかがい知れない「冥」なる他者の領域であり、霊性の領域である。神智学の用語でいえば、マナス界のデーヴァチャン(神界)に当たる。しかし、この領域は「顕」なる生者の世界と無関係ではない。

この往相・還相構造が成り立つのは、廻向のはたらきによる。廻向というのは、功徳《くどく》を振り向けることで、通常は、自ら行なった善行の功徳をもって自分の悟りへ振り向けると同時に、その功徳を他者のために振り向け、そこに自利と利他を目指す菩薩の理念が実現される。じつは、この二種廻向の発想のもとは、中国の浄土教思想家で、親鸞が大きな影響を受けた曇鸞《どんらん》にある。そして、曇鸞の発想においては、この解釈で問題ない。

ところが、親鸞はその廻向の主体を阿弥陀仏だと考えた。衆生には、廻向の力はない。阿弥陀仏の力によって、衆生は浄土に行き、そこからこの世界に戻って衆生救済に力を尽くすことになる。それ故、往相も還相もともにそこにはたらくのは仏の力であり、衆生はその仏の力に乗ることになる。

親鸞の死者観

仏の力ということは、阿弥陀仏という単体の仏というだけではない。そこに仏と一体となった過去の死者たちの還相の力が一緒になって加わっているはずである。仏プラス死者の強力なエネルギーが生者にはたらき、生者の活動を支えるのである。それを一八三頁の図のように示すことができるであろう。

ここで3章に示した公共性と他者の図（八八頁）を改めて見ていただきたい。そこで、公共性と他者の二つの領域の間に両方向に向かう二つの弓なりの矢印が付いていたことを改めて確認していただきたい。これが、本章で示した往相・還相の図とパラレルなことはお分かりいただけるであろう。公共的な現世から他者としての仏の世界に行き、そこからまた現世に戻る。二つの領域は往復可能なのである。ただ、親鸞の場合は、そこに死と来世という時間的な断絶が、越えることのできない壁として立ちはだかるのである。

そこで、このような親鸞の死者観を、もう少し広い視野から検討してみたい。これまで、死者の行方に関していくつかの説を取り上げた。それを整理してみよう。

（1）唯物論的な観点から、死者との関係を否定する立場。

（2）死者は永遠に死者の世界（天国・地獄など）に行ってしまい、生者とは関係を持てない。ステレオタイプのキリスト教の立場。

（3）死者は死者の世界に行ってしまうが、生者との関係は続く。平田篤胤・六人部是香などの国学・神道の立場。柳田国男の民俗学もそれに近い。

（4）死者は死者の世界に行くが、そこから現世に還る。仏教やヒンドゥー教の輪廻の考え方。親鸞もその枠で考えられる。神智学もこの立場。

このうち、（1）は生者と死者の関係が実際に起こり得る以上、成立しない。同じように、（2）もまた、そのままの公式主義的な見方は成り立たないであろう。死者が神のもとに行っても、生者との関係がなくなるわけではないと考えられる。（3）は考え得るが、死者の状態がずっと不変で永続すると考えるのは、いささか不自然のように思われる。民俗学で考えるように、やがて死者と生前に関わっていた人が亡くなっていくと、次第に個体性が消失し、祖先神のようなものに合体していくと見るほうが自然であろう。

（4）も仏教を通して日本に大きく影響している。通常考えられる輪廻は、業が積み重なることで、来世の苦に満ちた生が起こると見るので、輪廻はマイナスのイメージで考えられがちである。しかし、後ほど8章で見るように、菩薩という理想から考えるならば、輪廻は他者と関わり、他者の力となるために、積極的に求めてゆくべきものと考えられる。

ちなみに、理論的には菩薩の輪廻は三阿僧祇劫《さんあそうぎこう》というきわめて長い時間続くとされるが、それはもちろん、物理的時間の尺度で測るべきものではない。また、日本では即身成仏の思想が入り込むので、それだけ複雑になる。

死後、私という存在が解消してしまうのか

もう一つ重要な問題は、死後に個体性が維持されるか、という問題である。つまり、私が私として輪廻していくのか、それとも私という存在が解消してしまうのか、ということである。菩薩の輪廻という時は、明らかに個体としての持続が考えられている。しかし、即身成仏や、往相・還相構造では、はたして個体性が明確な形で維持されるのかどうか、必ずしも明白でない。そもそも十界互具のところで考えたように、個体性の統一というこ

と自体に疑問が持たれる。

仏教の輪廻説は、先にも触れたように、アートマンのような不変の霊魂が輪廻の主体となるのではなく、煩悩が凝り固まって、それが輪廻するのであり、その煩悩の塊が解消するのが解脱とか涅槃といわれる理想状態である。菩薩の場合は、衆生を救うために、意図的に煩悩の塊を解消せず、最低限必要な形で残して、自ら進んで輪廻に身を投ずるのである。神智学でも、欲望からなる個人のパーソナリティーが変容し、高度な霊性的性格を持つ個体性に変わっていくとされる。

もちろん、どのような形態であれ、死後のあり方が何らかの形で確定的な命題として公共的な言語で語られることはあり得ない。しかし、だからといって沈黙しかないわけではない。いちばんのポイントは、理想へ向かって歩む私たちの精神の進歩や向上を現世という限られた時間性の中だけに限定してしまわない、というところにある。そこにさまざまな形で構想力、あるいは想像力（イマジネール）がはたらき、多様な来世観が描かれることになると考えられる。この問題は、さらに次章以下で続けて考察することになる。

7章
霊性的世界と言葉

1　矛盾する言葉

これまでの検討から、他者の領域には三層があり、それぞれいくらか性格が異なることも分かってきた。第一層は私たちが公共性の領域で日常的に接する人がその裏に持っている見えざる部分である。人間だけでなく、生物や自然現象にも、日常接していたものが、突如暴力的な牙を剝く他者性の発現があり得る。第二層は死者であり、第三層は神仏や精霊などである。ただし、絶対的な超越神はこの枠の中にも入りきらない。第一層の他者は、通常は他者的な面を持ちながらも、公共的な関係を結び得るので、同じ人間が公共的な面と他者的な面を重層的に併せ持つことになる。特別に問題が起きない限り、公共的な枠で関わって問題ない。それに対して、第二層、第三層になると、そうはいかない。

公共性の特徴は、了解可能性にある。もちろんその行為がすべて把握できるわけではないが、ほぼその予測の範囲内にある。そこでの言語は説明言語であり、命題として真偽判定できる。もちろんその行為の一々が言語化されるわけではないし、曖昧さが許されるが、ある程度の許容範囲に収まる。

4章では、初期のウィトゲンシュタインの『論理哲学論考』(一九二一)によって、公共性に対する他者の領域の曖昧さについて触れた。ここで、後期のウィトゲンシュタインの用語を使えば、公共性の領域は「言語ゲーム」が成り立つということに当たるだろう。『哲学探究』(一九五三)で使われている石屋の例で考えてみよう。親方が見習いに向かって「台石《だいいし》」と言ったら、見習いは台石を持ってきて、それを親方が必要なところに設置する。その際、「台石を私のところに持ってきてくれ」とは言わないし、見習いも「台石をどうするのですか」と改めて問わない。親方が「台石」と言って、見習いが持って行ったことで、その言葉はその場の言語ゲームの中で機能している。公共性の言葉は、このような言語ゲームの言葉として有効性を持つ。

曖昧な言葉の領域

ところが、他者が相手になると、言語ゲームが成り立たない。「台石」と言った時に、柱石を持って行ったら、その了解関係は壊れる。一回だけならば、聞き違いということもあるかもしれない。けれども、次に「石板」と言った時に、台石を、それも全然違う方向に持って行ったとすれば、「こいつは何を考えているんだ」と怒り出すだろう。見習いは、もはや了解可能な公共性の枠をはみ出し、得体の知れない他者となる。

第一層の他者の場合、少し波長が合わなくて、予測どおり動いてくれなくても、何とか公共性の中に回収することが可能であるが、第二層の死者となれば、そこではそもそも言語ゲームは成り立たない。私の呼びかけに死者が応えてくれるとは限らない。おそらく沈黙しか返ってこないであろう。そのことが、死者の非在を否応なく際立たせる。逆に死者の側から思いもかけないメッセージが届けられるかもしれない。死者の沈黙は私を圧倒し、私の心身の不調を呼び起こすかもしれない。死者の世界を語る時、あたかも事実のように語られても、もはや公共的な言葉は通じず、言語ゲームは成り立たない。死者についての語りは、真偽が決まらない曖昧さを伴っている。

その点では、第三層の神仏なども死者と同じように考えることができる。神仏の言葉も同様に曖昧で、真偽が確定できない。天神様に入試合格を祈ったところで、その願いははたして神に通じるのであろうか。もし不合格だったら、契約違反で訴えられるだろうか。誇大広告が責められるだろうか。まさか誰もそんなことはしないだろう。神に祈願する場合、人間相手にこうしてくれと依頼したり、契約したりするのと、明らかに言葉のレベルが異なっている。

もし公共性のレベルの言葉しか認めないのであれば、このような第二層、あるいは第三層の他者と関わる言葉の使い方は、誤用であり、ナンセンスということになるだろう。近代啓蒙は、それを迷信として切り捨てようとした。しかし、実際に多くの人が神社で祈願しているのだから、それを単に公共性のレベルだけで切り捨てることはできないであろう。それとは異なるレベルの言葉として、真偽が確定できない曖昧な言葉の領域を認めなければならないであろう。それは、キューブラー＝ロスのいう「象徴的言語」に当たるものである。

鈴木大拙が定式化した「即非の論理」

哲学的に、公共性に還元できない言葉の可能性を提起したのは、鈴木大拙であった。大拙が提示したのは、矛盾した命題が同時に成り立つような種類の言語であった。公共性の領域の言葉は無矛盾であることが原則である。しかし、他者領域、とりわけ第二層、第三層になれば、そこで語られる言葉は必ずしも無矛盾とはいえない。大拙はそれを「即非の論理」として定式化した。それを少し見ておこう。大拙によれば、それは次のように定式化される（『日本的霊性』、一九四四、第五篇「金剛経の禅」）。

Aは Aだというのは、
Aは Aでない、
故に、Aは Aである。

この定式化は、『金剛般若経』を使っているので少しややこしいが、もっと単純に、「AはAでない。故にAである」あるいは「Aは非Aである。故にAである」と書き直すことができる。これは、ひとつの事柄に関して、肯定と否定が同時に成り立つことはない、という矛盾律を犯すことになってしまう。ここで、Aは命題でもあり得るが、名辞が入るほうが分かりやすい。大拙が使う具体的な例を挙げると、「A＝山」とするならば、

山は山だというのは、
山は山でない、
故に、山は山である。

ということになる。あるいは、もっと簡単にいえば、「山は山でない、故に山である」ということである。これは、「A＝山」の本質的な自己同一性を否定することになるから、同一律をも否定することになる。それでは、論理が成り立たないことになってしまう。「即非の論理」の論法は、それ自体自己矛盾を含んだ言明になり、論理が崩壊する。

同一律や矛盾律に従う通常の論理は公共性の場において成り立つものであり、それを否定するならば、公共性をはみ出すことになる。もっとも今日では、ゲーデルの不完全性定理によって、自然数論の体系では、肯定も否定もどちらも成り立たない命題があるということが証明されている。即ち、公共性の領域の中でも、もっとも厳密に論理を体系化しようとすると、無矛盾性がすべてに成り立つような完結した体系は不可能になってしまう。そうであれば、公共性の領域自体がじつは曖昧さを残しているということになる。

まして公共性をはみ出した他者の領域ともなれば、論理の基本的な法則が成り立たないからといって、ウィトゲンシュタイン的に沈黙する必要はないであろう。矛盾を許容し、真偽が不確かな曖昧な言葉があることを認めても構わないであろう。「即非の論理」は、このような他者領域の言語の根本的な性格を定式化したものということができる。もっとも、他者領域の言葉はそもそも曖昧であって、明確な定式化自体が成り立たないのであるから、その論理を定式化するということ自体がじつは矛盾していて、成り立たないはずのことをしているのである。

日常世界が壊れる禅の体験

ところで、大拙は、「即非の論理」と呼びながら、じつはそこに禅の体験的な経緯を包含させているので、一層ややこしくなる。即ち、単に言説を成り立たせる構造としての論理に留まらず、禅の実践の中で体験されていく段階をも示しているのである。即ち、「普通の常識がまず否定せられて、その否定がまた否定せられて、もとの肯定に還る」(『日本的霊性』)ところに、「感性的直観」から「霊性的直観」に至る道があるというのである。

この理解によると、「山は山でない、故に山である」という「即非の論理」は、実践的に禅の三段階を表わしているということになる。

第一段階「山は山である」　日常的な体験。感性的直観。
第二段階「山は山でない」　禅の悟り。
第三段階「山は山である」　再び日常に戻る。霊性的直観。

こうなると、論理とはいえないのであるが、ある意味では、公共性と他者の領域の構造をよく示しているところがある。第一段階は、公共性の領域での判断であり、私たちが日常的に当然と考えて行動しているレベルである。ところが、禅の体験により、そのような日常世界が壊れる。当たり前と思っていた「山」は、他者的な異相を示し、もはや「山」とはいえない姿を現わす。しかし、禅の体験はそれで終わりではない。もう一度日常に戻らなければならない。「山」はやはり「山」である。けれども、それは第一段階で見られた公共性の場での「山は山である」と同じ命題でありながら、レベルが異なっている。

この三段階を、井筒俊彦は分節(Ⅰ)⇒無分節⇒分節(Ⅱ)と名づけている。「分節」というのは、言語的に区別がなされ、判断が成り立つことをいう。分節(Ⅰ)というのは、日常レベルで「山」とか「川」とかが区別され、秩序づけられている段階である。それに対して、第二段階になると、その秩序が解体されてしまう。それは完全な無秩序というわけではないので、「無分節」という言い方がよいかどうか疑問があるが、ひとまず分節が崩れたという意味で理解する。しかし、それで終わりではない。そこにもう一度秩序が戻ってくる。それを分節(Ⅱ)と呼んでいる(『意識と本質』、一九八三)。

ただ、井筒の理解では、分節(Ⅰ)と分節(Ⅱ)の関係が分かりにくい。井筒は次頁の図のようにその関係を描くが、それだと、分節(Ⅱ)は分節(Ⅰ)と重なることがなく、まったく異なる分節の仕方になってしまう。それでは、山は山とまったく違う何ものかになってしまう。そうではなく、分節(Ⅱ)は分節(Ⅰ)と重なり、同じ「山は山である」に戻らなければならない。その点、井筒の解釈はやや問題がある。

それに対して、禅の研究者小川隆は、未悟《みご》(0度)⇒開悟《かいご》(180度)⇒本来無事(360度)という回転で理解している(『続・語録のことば』、二〇一〇)。つまり、未悟の段階は、日常的な公共的な状態で、「山は山である」が成り立っている。それを回転0度とする。そこから修行を重ねて悟りを開いた状態になると、「山は山でない」となる。それは肯定をひっくり返した否定形になるから、ちょうど180度回転したところと考えられる。しかし、それで終わりではない。そこから再び「山は山である」に戻る。それは180度回転した否定から、再び逆転して肯定に戻るので、360度になるが、それは一回転してもとの0度と重なることになる。それ故、0度の「山は山である」と同じ表現になる。

以上の井筒説と小川説を並べて次頁に図示しておこう。井筒説は井筒自身の図示であり、小川説のほうは、氏の説に基づいて私が作図してみた。

即非の論理の段階的理解

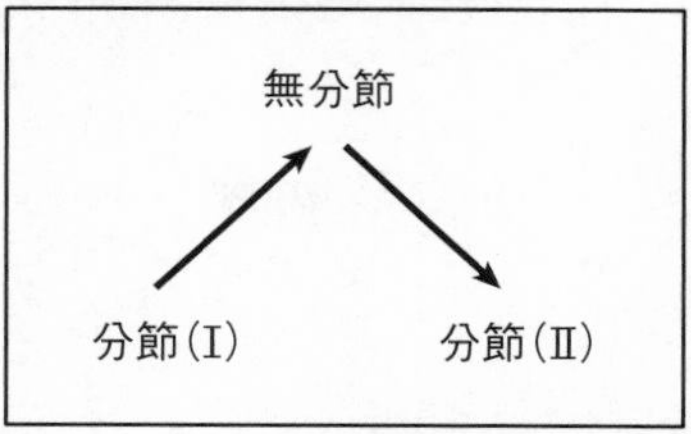

井筒俊彦『意識と本質』

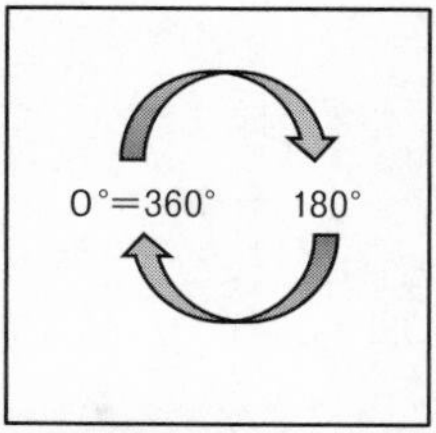

小川隆『続・語録のことば』
に基づいて作図

公共領域と他者領域

それでは、未悟と本来無事が同じ「山は山である」という表現になるのならば、両者はまったく同じといっていいのであろうか。それならば、わざわざ修行しなくても、ありのままでいいことになってしまう。それでは、0度と360度とはどこが違うのだろうか。これについては、井筒が「禅的意識のフィールド構造」という論文（『コスモスとアンチコスモス――東洋哲学のために』、一九八九所収）で、二種類の存在理解ということを提示していることが、参考になる。

井筒は、「日常的な感覚・知覚的認識主体の存在理解」(a)と「脱日常的な『悟り』の覚的主体の存在理解」(A)では、同じものを見ていても存在理解が異なるという。前者が井筒のいう分節(Ⅰ)であり、後者が分節(Ⅱ)

に当たることになる。本書でのこれまでの用語でいえば、前者は公共性の領域、後者は他者の領域に当たる。井筒は、その二つの認識の仕方の相違を、英語の大文字と小文字で区別して表現している。例えば、「我、花を見る」というのは、次のように区別される。

a) i see flower.

A) I SEE FLOWER.

即ち、同じ事象であっても、それが公共性の次元で見られているか、他者の次元で見られているかで、レベルが異なることになる。しかも、ここで注意すべきは、両者は同時的に重層的に成り立ち得るということである。他者の領域は、公共性の領域と別のところにあるわけではない。同じ世界でも、見る視点が異なることで変わってくるということができる。そのように考えるならば、「山は山である」もまた、0度のthe mountain is the mountainと360度のTHE MOUNTAIN IS THE MOUNTAINとして、区別することができるであろう。

そしてまた、その際に360度に回転したからといって、180度の「山は山でない」

がなくなるわけではないことも注意が必要である。即ち、次の三つの文は等号で結ぶことができる。

the mountain is the mountain.（0度）
= the mountain is NOT the mountain.（180度）
= THE MOUNTAIN IS THE MOUNTAIN.（360度）

最後の「山は山である」（360度）は、いわば公共性の領域と他者の領域の総合の上に成り立つということができる。このことは後ほどもう少し考えることにしたい。

2　贈与される言葉

これまでの考察では、他者といっても、主として第三層の神仏の世界と関わる言説の問題が中心になってきた。その領域に関しては「霊性」という言葉を使うことも不自然ではないであろう。大拙の三段階は、私たち自身がその世界に入っていく時の段階と構造を明確化したものということができる。その際に問題になるのは個体性のあり方である。確かに、360度回転すると、「山」は再び「山」という個体性を示す。しかし、そこに180度の否定性が含まれるとすれば、単純な個体の自己同一性が成り立つとはいえないことになる。すでに3章で十界互具に関して述べたように、他者の領域では個体の単一なる個体性は自明でない。自己も他者も必ずしも統合されて明確な個体的同一性を持つわけではない。

このことはさらに次節で考えてみたいが、ここではそれと関連して、西田幾多郎の「絶対矛盾的自己同一」という概念に触れておきたい。西田のエピゴーネンがわけも分からずに振り回して評判の悪い言葉だが、西田晩年の思索の結晶であり、もともと歴史的世界を解明する中で用いられるようになった。過去と未来、主体と環境などの対立する要素（必ずしも矛盾するわけではないが）を統合する形で歴史を創造していく主体のあり方を意味していた。「絶対」という言葉は不必要な装飾のように思われ、実際、それなしでも用いる。今深く立ち入ることはしないが、他者のあり方が基本的に矛盾的なものとするならば、西田の理論もその観点から見直す価値はあるであろう。ただ、上述のように、「自己同一」という個体の統合が成り立つかどうかは、疑問である。

もう一点、先の議論を進めるために補足しておきたいのは、第三層の他者の問題、したがって霊性的な問題に立ち入ると、必然的に「宗教」と呼ばれる分野と深く関係することになる。実際、神仏というと、宗教の問題といってもよいであろう。しかし、今日、かつてのようにはっきりと「宗教」の領域を確定することは困難になっている。例えば、神智学を宗教と呼ぶことができるかどうか、微妙である。確かに神智学は科学と宗教と哲学を統合しようとしているので、宗教的側面は大きい。本書でも「宗教」という言葉を使うこともあるかもしれないが、必ずしも厳密に定義されたものではなく、便宜的な使用であることを注意しておきたい。

「感応」——神仏と人の関係

ここまで見たところでは、他者の領域の言葉は、公共性の領域の言葉の応用であり、その変容といえる。ただ、そこでは言語ゲームが成り立たず、矛盾が生じ、真偽の判断が付かない曖昧な言葉と化した。ところが、他者の領域にはそれとまったく異なる種類の言葉がある。それは、他者の側から贈与される言葉である。コミュニケーションとしての言葉ではなく、一方的に与えられるもので、もちろんそこでは言語ゲームは成り立たない。

死者からの贈与もあり得るが、典型的には第三層の神仏からの贈与であろう。神仏の言葉は、多くの場合儀礼の場で、霊媒（シャーマン）を通して与えられる。また、夢を媒介とすることも多い。このことは第二層の死者の場合にもかなり当てはまる。夢の中の現われは象徴的な場合が多く、そのままでは理解できない。そこに夢解きや夢占いが必要となる。このような贈与は、もちろん儀礼の場を設定し、祈禱などの人の側からのはたらきかけはあるものの、神仏と人の関係は対等ではなく、そこでコミュニケーションが成立するわけではない。

両者の関係は、しばしば「感応」と呼ばれる。この語はもともと『易（易経）』に現われるもので、漢代に董仲舒《とうちゅうじょ》によって天人《てんじん》感応説（天人相関説）として理論化された。董仲舒によれば、天と人とは相関関係にあり、人間社会の善悪に対応して天は賞罰を下すという。その感応説は仏教にも取り入れられ、神仏が人間の誠意あるはたらきかけに応えて何らかの対応を示すことを表わすようになった。そこでは神仏と人間の間の関係は対等ではなく、人間側のはたらきかけに必ずしも期待するような応答があるとは限らない。神仏の示現は神仏からの贈与であって、人と神仏の間の取引や等価交換ではない。

それ故、その贈与は必ずしも好意的なものとは限らず、怒りから災厄となって現われることもある。悪神の類であり、その霊異の強力さをなだめることで、逆に人を保護する善神に転ずる。そのような神を御霊神《ごりょうじん》と呼ぶ。菅原道真《みちざね》が筑紫に左遷されて憤死し、雷神となって災害をもたらしたとされるが、丁重に祀られることで人々を保護する天満天神に転じたような例が挙げられる。それは確かに取引ともいえるが、強力な霊異を持つ神の前に、人はどこまでもへりくだってご機嫌をうかがうしかない。

このように、感応の関係は、神々の人間に対する優位のもとに形成されるが、力の弱い下級霊的な存在の場合、人間によって退治されたり、取引に応じたりする場合もある。説話などにしばしば語られる悪霊退治は、上位の神の助けを借りて、下位の悪霊を打ち倒すものである。キリスト教の世界でいえば、天使や悪魔が第三層の他者ということになるであろう。

本当に人間に理解できるのか

もっと組織的に大掛かりに言葉が贈与される場合がある。それが宗教の聖典とされるものである。その典型はイスラームにおけるクルアーン（コーラン）である。クルアーンは、神から預言者ムハンマドに下されたもので、アラビア語で与えられ、その言葉自体が神聖なものとされる。それ故、一切の変更も許されないし、翻訳は禁じられていないものの、アラビア語のもののみがその神聖性を保持できると考えられている。旧約聖書でも、モーセの十戒は神から直接与えられたものと考えられている。

インドにおいても、ヴェーダは天啓聖典であり、神から授けられた言葉を伝えたものとされる。仏教でも、経典は仏の言葉であり、『法華経』などによれば、仏そのものだとされる。即ち、仏の自己贈与ともいえる。もちろん超越的な絶対神を認めるユダヤ教の系譜に立つ一神論とそれを認めないインド系の宗教では贈与としても一律には論じられない。超越神は、他者の第三層をさらに超えている。この問題は、さらに次節で考えてみたい。

ところで、これらは贈与されるにしても、ひとまず人間にも理解できる普通の言葉で書かれている。もっともそれが本当に人間に理解できるのかどうか、与えられた言葉をそのまま文字どおりに読み取ればよいのか、その点が問題となる。そこで、贈与された言葉をより根源的に捉えて、贈与者の意図を汲み取る秘儀的な解釈が展開される。

キリスト教においては、早くも『ヨハネ福音書』に、キリストの出現に神の深い意図を読み取ろうという神学的な意図が見られる。注目されるのは、その冒頭は、「初めに言《ことば》があった。言は神と共にあった。言は神であった」(新共同訳)と始められていて、キリスト自身が「神の言（言葉）」とされていることである。キリストは神の子であり、神から遣わされた神の言葉であり、その言葉を読み解かなければならない。

言葉が神秘的な力を有する

贈与される言葉の神秘性は、さまざまな神秘主義や秘儀、密教などにおいて探究され、言葉はまさしく世界の根底的な構造を示し、特別の力を有するものとされた。ユダヤ教の神秘主義カバラーによれば、二十二のヘブライ文字に世界の神秘がすべて書き込まれているとされる。これは仏教でいえば、密教において梵字《ぼんじ》（サンスクリット語の文字）の一つ一つに世界の神秘が含まれているという理解と一致する。密教のさまざまなマントラ（真言）やダーラニー（陀羅尼《だらに》）は、神仏を招き、神仏のはたらきを現前させる力を有する。言葉が神秘的な力を有することは、日本の「ことだま」にも見られる。

言葉がそこに籠められた意味ではなく、それ自体が力を有することは、密教だけでなく、念仏にも見られる。念仏は、阿弥陀仏という名前（名号）に「南無」（ナマス。帰命する意）を付けて唱えるものであるが、単に「阿弥陀仏に帰依します」という、人間の側からの意志表明ではない。法然によれば、それは阿弥陀仏のほうから自らの名前の中にその功徳をすべて籠めて贈与したものだという。それだから、唱えるだけでその功徳がはたらき、浄土往生という本来困難な結果をきわめてやすやすと実現することができるというのである。

経典が仏そのもの

その後、法然の門下では念仏についての思索が深められた。とりわけ証空《しょうくう》を祖とする西山《せいざん》派では、念仏における「機法一体《きほういったい》」ということを主張した。「機」というのは贈与される対象である衆生であり、それに対して、「法」というのは贈与する阿弥陀仏である。名号の中で、贈与者である仏と贈与される衆生とが一体化してはたらくのである（次頁の図参照）。そのことを実践で示したのが、一遍《いっぺん》の踊《おどり》念仏であった。人が踊るのではない。衆生と仏が一体化した念仏が踊るのである。

念仏の贈与と同じ発想は、日蓮における「南無妙法蓮華経」の唱題にも見られる。唱題とは、『妙法蓮華経』（『法華経』の正式名称）というタイトル（題目）を唱えることだが、まさしくその題目の中に経典そのものが籠められているのであり、そしてその経典が仏そのものなのである。念仏や唱題、ひいては陀羅尼などでも、言葉は単なる文字ではなく、

機法一体の念仏

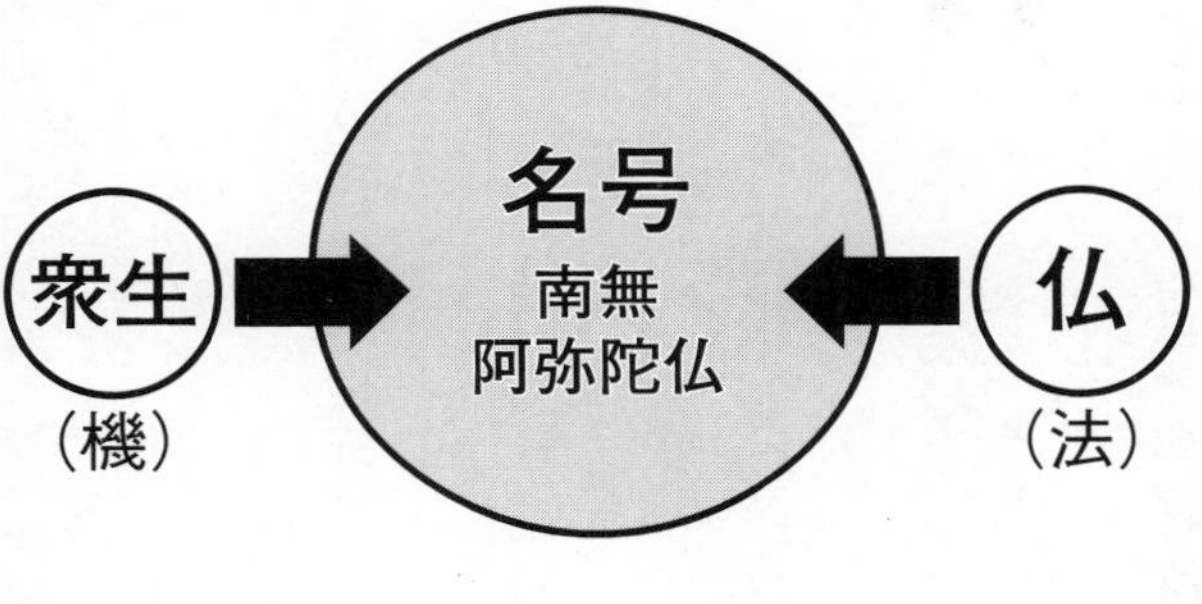

それが音声化することでその力をはたらかせることになる。このように、贈与される言葉は、他者と私を結ぶというだけでなく、それ自体がモノとして他者と私を呑み込み、他者と私という個体の二項構造を無化して、さらに霊性的領域の深みに向かおうとするのである。

こうして、贈与される言葉は、普通の意味での言語表現を超えることになる。こうなると、キリストが神の言葉とされるように、読み解かれるべき神秘は狭義の言語に限らない。空海が『即身成仏義』や『声字《しょうじ》実相義』などで説いたように、この世界全体が神秘であり、言葉である。私たちは贈与された言葉に囲まれている。そればかりか、私たち自身が贈与されたものではないのか。「機法一体」はあらゆるところで実現されていく。そうなれば、もはや私たちの個体性は意味を持たなくなるのではないか。個体の実在性は脅かされ、その根源へと探究が進められなければならない。他者を超えたさらに奥への探究があり得るのか。下手をすると、それはブラックホールに呑み込まれて、消滅してしまうだけではないのか。厄介な問題に、慎重に歩を進めることにしよう。

3　霊性の根源へ

4章で、他者、とりわけ第三層の他者の領域を霊性の領域と呼んでもよいのではないかと述べた。それは、単に他者の「場所」というだけでなく、その領域に沈潜していくことで、この世界のあり方が開かれてくるような、根源の場に迫ることができるのではないか、という予想に基づく。ここでは、その霊性的世界がどのようなものか、立ち入って検討したい。

まず、前節でいささか問題になった個体性ということを考えてみたい。公共性の立場では、いうまでもなく、それぞれ固有名を持ち、個体性を持って区別される主体が前提とされる。主体の個別性がはっきりしていることで、責任の所在が明確となる。その個体は身体性を持ち、一定の空間的場所を占める。もちろん3章で見たように、ひとりの人は、さまざまな場で異なった役割を果たし、その点からすれば、必ずしも個体が個体として統一が取れているわけではない。しかし、公共領域では、それが一つにまとまっているということが前提とされる。それは、最終的には法的な主体ということになる。もっともそれでも多重人格のように、同一身体を持ちながら、ひとりと言いきれない場合もある。

輪廻はどう説明されるか

他者と関わるようになると、この同一性はますます不確かになる。十界互具に関して述べたように、私の中にじつは多様な他者が住みつき、それらは決して整合的に統一されているわけではない。即ち、それらの多様な他者を統合する「自我」とか「霊魂」とかいうようなものはない。これは重要なポイントである。西洋の哲学の発想からすれば、自己の核となる霊魂のような実体が何かなければならない。ところが、仏教では無我を説くので、実体的な霊魂を認めない。さまざまな煩悩が凝り固まることで、あたかも統合体のようにはたらくだけのことである。前章で見たように、近代になって「霊魂」論が日本でも議論されるようになった時、仏教側の応答がどうしてもすっきりしないのは、そのためである。キリスト教が持ち込んだ「霊魂」概念を前提とする議論に乗ることで、議論がはじめから歪められているのである。

仏教では、無我を説く。物質的、身体的要素である色《しき》と、精神的、心理的要素である受《じゅ》・想《そう》・行《ぎょう》・識《しき》という五要素（五蘊《ごうん》）が集まって一応のまとまりとなっているので、そこには霊魂的な実体はない。そして、死によってそれらの要素が解体してしまう。それでは、輪廻はどう説明されるかというと、煩悩によって目に見えない微細な五蘊が形成されて、それが、男女の交わりを見て、母胎に入るというのである。その輪廻の説明についてはさておくが、ともあれ輪廻を認めるからといって、そこに実体的な霊魂を措定しなければならない必然性はない、ということを確認しておけば、ここでは十分である。

公共次元と異なる時空

他者との関わりは、第一〜三層の何《いず》れであっても、実体的な霊魂と関わることではない。他者と感性的に触れ合うにせよ、もっと内面的、精神的レベルで触れ合うにせよ、他者には何か実体的なものがあって、その実体と関係するのでは決してない。身体的に触れ合う場合でも、精神的に関わる場合でも、他者は他者として現われるのであり、何か特別な永遠の霊魂と関係するわけではない。例えば、第二層の死者の場合を考えると、死者自身が私に対して現われ、その死者と関係するのであって、決して死者の奥に何か実体的な核としての霊魂があって、それと交わるわけではない。どこか遠くにある不滅の死者の霊魂が問題なのではない。実際に生者と関わる死者が問題なのだ。

まして第三層の神仏になると、個体的な霊魂という観念がいかにナンセンスか分かるであろう。阿弥陀仏の霊魂など誰も考えないであろう。にもかかわらず、そのような他者としての仏と関係を持つことはできる、というよりも、関係を持たざるを得ない。神仏は言葉を通し、あるいはイメージを通して迫ってくる。あえていえば神仏は自らを贈与するのであり、その贈与を私たちは受け取らないわけにいかない。

例えば、阿弥陀仏は遠方の極楽浄土にいますのだろうか。阿弥陀仏はもとは法蔵菩薩という菩薩で、誓願を立てて修行して阿弥陀仏になったのだという。それは、『無量寿経《むりょうじゅきょう》』に説かれた神話である。神話は神話であって、バカバカしい作り話として笑い飛ばすこともできるかもしれない。しかし、経典という形で贈与された神話は、公共性の次元と異なるレベルの真実として読まなければならない。公共性の次元で成り立たないからといって、霊性の次元で成り立たないとはいえない。他者＝霊性の次元には、公共性の次元と異なる時空があり、異なる真実があるとしても、おかしいとはいえないであろう。

世界のゼロポイントへ

それでは第三層の神仏はそれぞれの個体性を保持するのであろうか。確かに阿弥陀仏と薬師仏と釈迦仏とは、それぞれ異なる神話を持ち、互いに相違するように見える。しかし、それらの仏たちは、それぞれバラバラの個体として各別に存在するのかというと、そうでもなさそうだ。彼らの個別性は排他的でなく、そのはたらきは融合して一体化していく。逆の側からいえば、もともと一体的なはたらきがそれぞれ分化していったと見ることもできる。密教の大日如来は、いわばそれらの仏たちのすべてのはたらきを統合するもので、そのはたらきが分化するところに、無数の仏たちが生まれるといってもよい。

こうして個別的に見られる他者の領域をさらに深めていくと、そのような個別化、差別化をも無化した根底へと進んでいくことになる。それは、贈与するものなき贈与、言葉なき言葉として、あらゆる贈与の源泉となる。

このような世界の根源からの世界の立ち現われについては、井筒俊彦の描いている図が参考になる（『意識と本質』）。ここで、最下の一点を「意識のゼロポイント」と呼ぶ。名づけようのない根源である。そこから、Cの「無意識の領域」において無意識の動きが生ず

井筒俊彦による言語生成の構成図（『意識と本質』から）

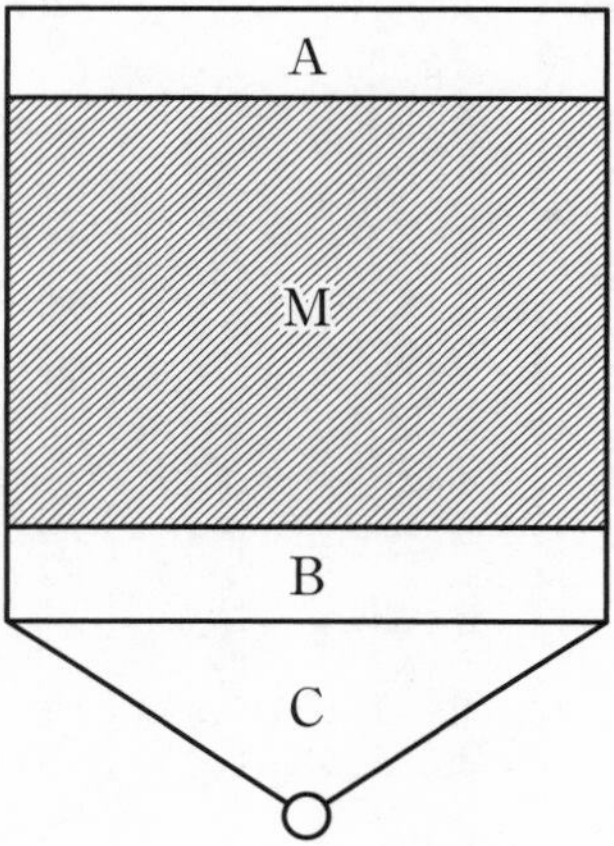

る。しかし、そこではまだ何が動いているのかも分からない。さらにそこからBの「言語アラヤ識（正しくは、アーラヤ識）の領域」になると、言語の元型が形成される。そして、M「想像的イマージュの場所」になると、それが多様なイメージとして展開してくる。こうして、最終的にA「表層意識」に至るというのである。

井筒は、無意識－意識構造で、人間の心理の側の動きとして論じているが、むしろこれは世界生成の過程として見るべきではないだろうか。ゼロポイントは世界の究極であり、そこにはいかなる言語も届かないが、そここそが世界が生まれる根源である。それがいわばエネルギーの蠕動《ぜんどう》のように動き出してくるのがCの段階であり、そこに根源的な言語が形成される。それがBの領域である。そこからMのイマージュの段階になると、具体的に個別化された他者としての神仏が形作られることになる。最後にAは公共性の領域と考えることができる。

このような世界生成の過程を逆に見ていけば、私たちが公共的世界から他者の領域に踏み込み、その霊性的世界を深めて、世界の根源へと進んでいく過程と見ることができる。

4 仏身論から霊性を考える

ここで、仏教の教学的用語を用いるならば、これは仏身論の問題となる。もっとも一般的な三身説《さんじんせつ》によると、三身は法身《ほっしん》・報身《ほうじん》・応身《おうじん》とされる。応身は、方便としての便宜的な姿であり、衆生に近い姿を取る。他者論のレベルでいえば、第一層または第二層に位置づけられるであろう。その姿だけ考えれば、公共的存在の次元で捉えることもできるかもしれない。釈迦仏が歴史という場に現われた人間として、偉大な哲学者、あるいは宗教家と見られるような場合を考えてみればよいであろう。井筒の図でいえば、応身は表層的なAの領域になる。

報身は、贈与された経典に説かれる姿で、神話的物語を伴う場合も多い。第三層の他者に当たり、もっとも仏らしい仏のあり方である。応身・報身は一応個別的な姿を示す。阿弥陀仏は、法然や親鸞の見方では報身とされる。極楽浄土という異世界は、まさしく他者の世界に他ならない。井筒の図では、報身はMの「想像的イマージュの場所」に当たる。

そこで問題になるのが法身である。法身になると個別的身体が融解する。諸仏が諸仏として現われる根源ということができる。仏教ではしばしば、「空」であるとか、「平等一味」とかいう言葉が使われる。しかし、完全に均質化した世界というものは、たとえ公共的な理解を超えた他者＝霊性の世界であってもあり得ない。それはいわばエントロピーが最大となった無秩序の均質化でしかない。「空」という語に寄りかかるのは危険である。むしろ上述のように、大日如来がすべての仏のはたらきを統合するようなことを考えるのがよいであろう。

「言語アラヤ識の領域」から「無意識の領域」へ

法身的世界は、個別的な仏の姿を取った第三層の報身がさらに深まり、仏ということもできなくなった奥底とでもいえるであろうか。他者の三層の深まりは、第一層から第二層

三身説の構造

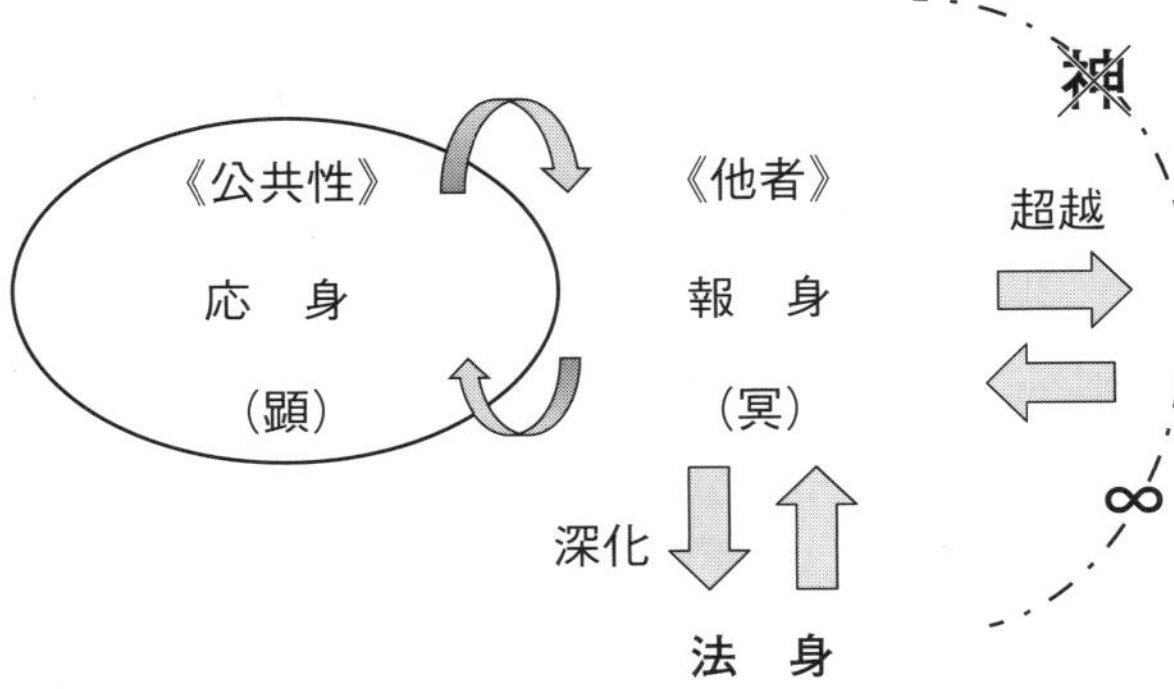

へ、そして第三層へと、次第に公共的世界から離れ、霊性的世界の奥に深まっていく過程ということができる。そこから、第三層をも超えてさらに深く沈潜していくのである。

そうなると、第三層の報身が持っていた個別性も解消していく。それが法身の世界である。主体性の方面からは法身と呼ばれ、世界の側から捉えると、法界とか真如《しんにょ》とか呼ばれる。主体と世界の区別を持たないから、法身も法界・真如も同じ事態を表わす。井筒の図では、Bの「言語アラヤ識の領域」から、Cの「無意識の領域」へと深まることになる。この法身への深まりは、今度は逆の側からすれば、法身の根源から世界が形成され、言葉が贈与される過程と見ることができる。

このように見てくると、3章で扱った公共性と他者の図を応用することで、三身説の構造を図示することができそうである。前頁の図がそれである。公共性の領域を応身の領域とすれば、他者の領域で活動するのが報身である。それをさらに深化させて法身＝法界へと進むことになる。右側の矢印の超越に関しては、後ほど考えてみたい。

親鸞がヒントに

法身はまた、西田哲学的にいえば、もっとも根源の「無の場所」に当たるといってもよい。そこは「無」といっても、何もない虚無でもないし、動きを失った世界でもない。確かに「真如凝然《ぎょうぜん》」といわれるように、究極の真如は一切の動性がなく、完全に凝固した世界と見る見方もある。しかし、それでは三身の流動性もなくなり、法身＝真如は完全に他から切り離された死滅の世界ということになってしまう。そうならないためには、少なくとも三身の流動性は認めなければならないであろう。真如が世界に対応して流動化していくあり方は「随縁《ずいえん》真如」と呼ばれる。

報身と法身の関係について、ヒントになるのは親鸞である。親鸞は、中国の浄土教思想家・曇鸞の用語を用いて、法性《ほっしょう》法身と方便法身の区別を立てる。『唯信鈔文意《ゆいしんしょうもんい》』によると、法性法身は、「いろもなし、かたちもましまさず。しかれば、こころもおよばれず、ことばもたえたり」と、まったく接近のしようがない根源の真理である。しかし、それでは誰も近寄れない。そこで、方便法身の姿を示し、法蔵菩薩として誓願を立て、成就したというのである。この方便法身が報身に当たる。究極の法身は、まさしくどのようなイメージも超越しているが、しかしそこに衆生救済のはたらきが生ずる。そのはたらき故に、報身として現われるのである。報身は法身からの贈与である。

世界の「破れ」がないか

以上は、仏教の仏身論に拠って考えてきたが、もちろん他の宗教や神秘主義哲学にも近似した構造を見ることができるであろう。それに関しては、次章でさらに考察してみたいが、ここでは二点ほど指摘しておきたい。

第一に、そのような根源への沈潜は、しばしば瞑想、あるいは禅定《ぜんじょう》によって体験されていく。即ち、単純に知的営為によって到達されるわけではない。その際、はたして本当に根源まで到達できるのか、否か、という問題が生ずる。即ち、この世界の奥の奥まで知られ得るのか、それともどこまで行っても人間の知や体験の及ばない、「さらに奥」があるのではないか、という問題である。これはきわめて難しい問題であり、直ちに解決し難いが、私としては、やはり究極までは到達できないという方向に傾いている。この問題はまた、どこまで言語的に表現できるか、という問題とも関わる。禅は「不立文字《ふりゅうもんじ》」を主張するが、道元のように、どこまでも「道得《どうとく》」(語り得る)と認める立場もあるのである。

第二に、きわめて大きな問題として、以上はいわば他者世界を深めていくという方向で考えたが、他者=霊性的世界をもさらに突破した超越ということはないか、という問題がある。これは超越神の問題になる。これについては、3章でもいささか触れたが、ここでは、先の仏身論の図で考えてみたい。下向きの矢印の往復と別に、右側の点線に向かって往復する矢印が描かれている。これは世界の極限(∞)を超えたところに超越神が考えられるという意味である。人間の側からすれば、超越であり、神の側からすればこの世界のすべてが贈与ということになる。神に×印が付けてあるのは、フランスの哲学者マリオンに従ったもので(『存在なき神』、一九八二)、「神は存在する」ということをも超え、そもそも神という命名も成り立たないからである。ユダヤ教に発する一神教的な発想は、基本的にこの超越の方向に向かうことになる。

ここでは、これ以上この問題を論ずる紙幅はないが、一つだけ問題を提起しておくならば、はたして法身・真如への深化と超越神への世界の超越とは相互に対立的で、相容れないものであろうか。この問題は、十分慎重に考えてみる必要がある。レヴィナスの用語を使えば、「全体性」と「無限」とは本当に対立的なのか、ということである（『全体性と無限』、一九六一）。あるいは、神秘主義と超越神とは両立し得るか、と言い直すこともできよう。安易な折衷をしてはならないが、私としては、相互に排他的ではないだろうと予測している。というのも、法身・真如への沈潜は、そのままずっと奥まで進んだ時、はたして世界の「破れ」がないといえるだろうか、という疑問があるからである。

他者＝霊性的世界もまた、完結し、閉鎖されたものではないはずである。その「破れ」が、さらに他者＝霊性的世界の「外」に通ずる「穴」となるならば、他者＝霊性的世界を超越した「存在なき神」に行き当たることも、十分にあり得るのではないか。そうとすれば、超越神的世界と神秘主義的世界とは必ずしも相反的とはいえないのではないか、と思われるのである。この点も、次章で改めて考えることにしたい。

8章 霊性と倫理

1　死者が築く歴史

いかにして他者＝霊性的世界の深奥へと達するかは、哲学・宗教のもっとも中核的な問題である。しかし、そうして他者＝霊性的世界に沈潜すると、今度は現実の世界、即ち公共的世界を遠く離れてしまわないか、という問題が起こる。この問題は、他者・死者をベースとして哲学を構想するようになってからの、私にとって最大の問題であり続けてきた。当初、私は世俗の倫理と他者・死者の問題を切り離す方向を採っていた（『仏教vs.倫理』、二〇〇六。後『反・仏教学』と改題、二〇一三）。その際、倫理として考えていたのは、3章で触れた和辻哲郎の『人間の学としての倫理学』の考え方であった。和辻に従って倫理を公共的な「人の間」の関係として捉えるならば、「他者」はその枠を逸脱し、倫理によって捉えきれないものとして出現する。それ故、他者の問題は倫理を超え、倫理に還元されないものとなる。

そう考えるヒントを与えてくれたのは清沢満之であった。清沢の『宗教哲学骸骨』については、6章で触れたが、清沢はその後、短い生涯の晩年に「精神主義」を唱え、有限なる主体と絶対無限者（＝阿弥陀仏）という他者との出会いを核に、その思想を展開した。絶対無限者の前で人は無力であり、他力に任せる他なく、自力の倫理的行為は不可能とされる。それは消極的なように見えるが、当時の状況を考えれば、このような倫理否定は、教育勅語の倫理を絶対視して押しつける国家に対して、それを超える宗教的価値を掲げるという意味を持つものであった。それ故、世俗的な問題に無関心であったのではなく、むしろ世俗的倫理の傲慢《ごうまん》を咎《とが》め、他者の領域を開くものであった。

当初、私も公共性から他者へという方向性を中心に考えていた。他者との関係は世俗の公共的秩序をはみ出し、壊すことになる。しかし、それで終わるとすれば、もはや倫理は成り立たなくなってしまう。従来の公共的世界で充足する倫理ではなく、他者から出発してそこから改めて公共的世界に向かい、新しい倫理を立ち上げることは可能であろうか。

「メメント モリ」から「死の哲学」へ

他者の中でも、とりわけ死者との関係を原点として模索していた中で、田辺元《たなべはじめ》晩年の「死の哲学」を知ったことは、死者から出発する倫理を考える大きな道を示してくれた。田辺は、京都大学で西田幾多郎の後継者とされながら、「種の論理」によって西田批判を展開したことで知られるが、最晩年の一連の「死の哲学」は、従来ほとんど評価されていなかった。
生前未発表に終わったハイデガー批判を含む長大な論文「生の存在学か死の弁証法か」（一九六三）の他、哲学エッセーとして秀逸な「メメント　モリ」（一九五八）など、晩年の田辺は死と死者の問題に集中して、「死の哲学」というそれまで夢想もされなかった世界を切り開いていった。即ち、自らの死は決して体験できないというところから、死者との「実存協同」というまったく新しい哲学を産み出すことになったのである。それは次のように定式化される。

自己のかくあらんことを生前に希つて居た死者の、生者にとつてその死後にまで不断に新にせられる愛が、死者に対する生者の愛を媒介にして絶えずはたらき、愛の交互的なる実存協同として、死復活を行ぜしめるのである。（「生の存在学か死の弁証法か」）

死者の側の生前の生者への愛と、生者の側の死者への愛とが交錯し、その「愛の交互作用」が「死復活」を可能とするのである。そこには、妻に先立たれたという個人的な体験が反映されているのは確かであるが、決して特定の生者と特定の死者だけの閉ざされた関係で完結するものではない。死者の願いと生者の希望が合体することで、その協奏は愛の協同体の実現として開かれてゆき、それが人類全体にまで広がることもあり得ないことではない。その点で、神智学の死者論とも通ずるところがある。

もともと田辺の「種の論理」は、西田の「場所」の論理に欠けていた国家・社会の役割を組み込むことを意図していたもので、社会的関心が強かった。それが戦争への積極的な関与につながり、さらにそれへの反省が『懺悔道《ざんげどう》としての哲学』(一九四六)から「死の哲学」へと向かった。晩年に近づくにつれて、以前からの社会・国家への関心に、主体的な自己や他者に関わる実存的な問題が絡まってくるのである。

それ故、「死の哲学」の一つの契機として、広島・長崎に続いて、ビキニ環礁沖での水爆実験による第五福竜丸の被爆(一九五四)に大きな衝撃を受け、「死の時代」の到来という深刻な時代認識を持っていたことが挙げられる。「原子力戦争の結果、種の集団死が起こっても、なお死を免れて幾人かの個人が生き残るという可能性は消滅しないであろう」(「生の存在学か死の弁証法か」)と、近未来の核兵器が人類すべてを滅亡させるかもしれないという可能性にまで言及している。その危機感の中から、死者との「実存協同」が大きな希望を与えることになったのである。このように、田辺における死者との「実存協同」は、決して社会的視野を見失ったものではなく、逆に人類全体の危機という大きな時代認識の中で形成されたものである。

亡き妻と共闘する上原専禄

死者との関係が積極的な社会倫理を産み出すことは、さらに上原専禄《せんろく》において先鋭化する。上原は、もともと西洋中世史の研究から出発したが、戦後の歴史教育の民主化の先頭に立ち、新制の一橋大学学長として指導力を発揮した。ところが、妻の死を契機にすべての公職を退いて隠遁《いんとん》生活に入った。その隠遁生活の中で、妻の廻向に日々を過ごしながら、もともと篤かった日蓮信仰を深め、独自の死者論を展開した。それがまとめられたのが、『死者・生者』(一九七四)であった。

田辺の死者との「実存協同」が、理想としての愛の共同体を提示するものの、そこに至るまでの具体的な実践論を欠くのに対して、上原は積極的な死者との共闘によって、歴史の中に参戦しようとする。上原の妻は癌《がん》で亡くなったが、上原はそこに医療過誤があったと追及する。上原は、亡くなった妻とともに医療の問題を追及する中で、近代文明が死者を排除し、生者の傲慢によって、本当の意味での歴史そのものを失ってきたのではないかと、さらに大きな問いを投げかける。

さまざまな社会の矛盾や不正によって死に追いやられた死者たちこそ、今蘇らなければならない。死者が死後に裁きを受けるのではなく、まったく逆に、死者こそが裁く主体なのではないか。生者は、死者による裁きの場に引き出され、審判を下されるのではないのか。

共闘者としての亡妻という実感に立つと、今まで観念的にしか問題にしてこなかった虐殺の犠牲者たちが、全く新しい問題構造において私の目前にいきいきと立ち現われてくる。アウシュヴィッツで、アルジェリアで、ソンミで虐殺された人たち、その前に日本人が東京で虐殺した朝鮮人、南京で虐殺した中国人、またアメリカ人が東京空襲で、広島・長崎の原爆で虐殺した日本人、それらはことごとく審判者の席についているのではないのか。そのような死者たちとの、幾層にもいりくんだ構造における共闘なしには、執拗で頑強なこの世の政治悪・社会悪の超克は多分不可能であるだろう。

(『死者・生者』所収「死者が裁く」)

これはきわめて強烈な告発である。理不尽にも虐殺された死者たちの告発を、私たちの誰もが免れない。その虐殺は今も続いている。九・一一以後、繰り返されるテロと報復、そして今日でもまた、ミャンマーで、あるいはイスラエルやアフガニスタンで、次々と無辜の人々が意味もなく殺されていく。虐殺だけではない。三・一一の大震災など、巨大災害の死者たちもまた、黙ってはいない。

上原の指摘は、きわめて厳しい。しばしば死者たちに対して、「あなたたちを忘れない」とか、「この記憶を未来につないでいく」などという。しかし、上原によれば、そのような言い方は、生者たちの一方的な他人事のもの言いでしかない。死者は決して生者の記憶の中にだけいるものではない。死者は生者の自由になるものではない。

「記憶」ということは、二〇〇〇年頃いわゆる従軍慰安婦や南京大虐殺などが大きな問題となった際に、歴史を論ずるのに盛んに用いられた。「記憶の継承」とか「集団記憶」など、過去の歴史は、生者の意識の中にしかないかのように語られ、論じられた。記憶だけの問題であるならば、それはきわめて主観的であり、その中で容易に歪められ、変形されてしまう。実際、「記憶」は、中国・韓国・日本でそれぞれ異なり、それぞれの民族感情や政治情勢が反映されて、都合よく変形されてきた。

だが、だからといって、それを単に勝手な変形とだけ決めつけてよいかというと、それもまた難しい。以前、東アジア三国で共通の歴史教科書を作る運動が盛んになり、度々会合が開かれて議論された。その企画は消滅したわけではないが、行き詰まっている。従軍慰安婦でも、南京大虐殺でも、韓国や中国と日本の認識は大きく異なっている。それは単純に被害者側の国の言うことが正しく、加害者側が間違っていると断定することもできない。

靖国神社の問題

今日では、歴史というと何か客観的な事実があって、それを正確に叙述することが正しいというような単純な説は成り立たなくなっている。もちろん、史料の読みは恣意的であってはならないし、そのことによって確定される事実を歪めることはできない。しかし、歴史とはそのような事実だけからなるものではない。歴史記憶論と同じ頃、もう一方で「歴史物語論」が流行した。歴史とは所詮はどのような物語を語るかということであり、それは語り手の自由だというのである。それは、今日の「ポスト真実」を予告するようなところがあった。実際、政治的立場を優先させて歴史を書き直し、それを教科書に反映させるような動きも進捗《しんちょく》してきた。

だが、客観的な事実がないということは、直ちにどうにでも自由に歴史を語ることができるということを意味しない。それとはまったく逆である。歴史は単純に公共性の領域だけで成り立つものではない。他者としての死者こそが歴史の担い手だ。上原の言うように、死者こそが生者に決断を迫るのである。近代史は、ともすれば政治的立場によって歴史の描き方が異なるかのように思われがちである。しかし、それは歴史を作る主体としての死者を見失っている。政治的次元以前に、死者たちの語りがあり、叫びがある。まずそれを受け入れることから出発しなければならない。

例えば、靖国神社の問題にしても、それを政治的立場からの賛否に還元するのは間違っている。まず最初に死者たちの声を聴かなければならない。もちろん、死者は無色透明の中立的な場所に立ち現われるわけではない。それを受け止めるほうの態度によって、死者の語りは異なってくる。だが、どのように現われ、何を語るにしても、それを生者の恣意によって歪めるのではなく、真摯に、誠実に受け入れることから出発するのでなければならない。はたしてそれがなされてきただろうか。

古代以来無数の死者たちの中に

最近、沖縄戦の激戦地となり、その遺骨がなお残る沖縄本島南部の土砂を辺野古《へのこ》の米軍基地造成のために使うという案が浮上し、大きな問題となった。今の都合のために、過去の歴史をすべて抹消して、死者たちを消し去ろうということが許されるであろうか。死者たちは物言わず無力だが、もし彼らを無視し去るならば、それは必ず生者の世界に大きな災厄として戻ってきてとてつもない危機を招くであろう。

歴史は死者の「記憶」が生々しい近代史だけに限らない。はるか古代からの蓄積の上に今は成り立つ。韓国の歴史教科書を見れば、そこに描かれた歴史が、古代以来、日本で教えられる歴史とまったく異なっていることに驚く。歴史はそれぞれの文化・民族で異なって継承されてきた。そのことは認めなければならない。それを誰もが受け入れられる唯一の歴史に還元しようとしてもできるはずがない。だが、だからといって、歴史が国家の都合で捏造されることもまた、認められるものではない。長い歴史は、古代以来無数の死者たちの積み重ねの中に作られてきたものである。その重みを正面から真摯に受け止められるのかどうか。そこからはじめて、歴史の蓄積の上に参画し、未来へ向けて新たな歴史を描いていくことができるのではないだろうか。

2　他者と菩薩の倫理

前節で考えた死者は、他者の第二層に当たるが、さらに第三層の神仏が関わってくるとき、そこでの倫理はどのように考えられるのであろうか。超越神型のユダヤ系一神教では、しばしば世俗の公共性の行動まで含めて神が直接命ずることが可能である。しかし、霊性的世界に深まっていくようなタイプの世界観では、最終的に個が消滅することで、倫理が不可能になってしまうのではないか。そのことは、しばしば超越神型宗教から神秘主義型宗教に対する批判として提出されてきた。プロテスタンティズムの世俗内禁欲の態度が近代的な倫理の源泉になったというマックス・ウェーバーの説は、かなり通俗化された形で流布してきた。それによると、神秘主義型の思考からは近代は生まれないかのように見られてしまう。

しかし、前章に見たように、もともと個体性はそれほど絶対的に確定したものではないが、だからといって、霊性的領域に沈潜して個体性が解消していくとしても、それによって他者の他者性が消えてなくなるわけではない。私は否応なく他者と関わり続ける。そこにやはり倫理の問題が浮上する。その他者とは何なのか。それは、本書でこれまで曲がりくねりながら考えてきた問題に再び戻ることになる。ここから、現世の公共的な問題と、死者論を含む霊性的な問題がどう関わるか、という点をさらに深めて考えることが必要になる。

ここでは、その問題を大乗仏教の菩薩のあり方を手掛かりに考えてみよう。菩薩は、もともとは仏陀の伝記の中で、仏陀になる前の修行中の状態を指す言葉であったが、大乗仏教になって、菩薩の可能性が広く開かれたことによって、誰でもその志を持てば、菩薩の修行を行なうことができるようになった。その修行は、六波羅蜜《ろくはらみつ》と呼ばれ、布施・持戒・忍辱《にんにく》・精進・禅定・智慧の六つの徳目を徹底的に完全なまでに実践することである。その中でも布施の徳目は重要である。それは、他者に求められるものすべてを贈与するということだからである。

多様な化身で救済する観音菩薩

菩薩の実践はしばしば自利・利他と呼ばれる。もともと仏教の修行は「犀《さい》の角のようにひとり歩め」といわれるように、孤独の中で自らの完成を目指すものであった。ところが、菩薩はそこに他者という要素を加えた。他者が加わると、途端にそれまで整然としていた理論や実践の体系が一気に曖昧になってしまう。他者はどう反応するか分からない。利他といっても、他者が求めるものはきわめて多様であって、一義化されない。そこでの実践は、どこに原則が求められるのだろうか。

菩薩の代表として観音（観世音）菩薩が挙げられる。その名前自体が、世の中の衆生の声を聞く、あるいは衆生を観察するという意味であって、衆生の多様性に従って多様な化身を現わして救済しようとする。仏身はもちろん、神々や、人間の男女、さらには精霊や妖怪まで、三十三身といわれるが、その数は具体的な数であるよりも、相手次第でどのような姿をも取るということである。男の感応を満足させるために、娼婦の姿を取ることもあるという。

観音は菩薩の代表かもしれないが、これは誰にもできることではないであろう。そうなると、菩薩の道は厳しすぎるから、自分にはとても無理だと断念することになるかもしれない。けれども、それでは他者から身を引いて、自分だけの中に閉じ籠もることができるのだろうか。それが可能ならば、それでもよいかもしれない。

しかし、はたして他者とまったく関わりなしに生きていくということが可能であろうか。公共的な場でさえも、じつは第一層の他者が付きまとってくる。純粋に誰もいないところで生まれるとしても、それこそ両親なしでは生まれること自体があり得ない。「我思う、故に我あり」と、超然としていることはできない。「我思う」ためにも他者が必要なのだ。そうとすれば、他者と積極的に関わっていく菩薩というあり方は、特殊な困難な道ではなく、人が生きていくためにどうしてもそうあらねばならない必然の道かもしれない。

「一切衆生は仏になることができる」

それでは、他者と関わる菩薩について、どう考えたらよいであろうか。これまでの議論をさらにもう一歩進めるために、ここでは第三層の神仏を含めて、もう一度考え直してみよう。その手掛かりは、大乗仏典の『法華経』に見える。『法華経』は全二十八品《ほん》(章)からなるが、通常三つの部分に分けられる。第一類はほぼ前半に当たり、第二類が後半に当たる。第三類は付加的な部分である(観音菩薩を説く「観世音菩薩普門品」は、第三類に属する)。そのうちの第一類は、第二章の方便品が中心と考えられている。その思想は、伝統的には、すべての衆生は仏になることができる、という説だとされる。

仏教学的には、これを一乗《いちじょう》思想と呼ぶ。それと対立するのは、小乗とされる声聞乗・縁覚乗と大乗の菩薩乗とがそれぞれ別の道を進むという三乗《さんじょう》思想であるが、その三乗を統合して、あらゆる衆生は仏に向かう仏乗《ぶつじょう》だけしかないと説くのが『法華経』の一乗思想だとされる。つまり、「一切衆生は仏になることができる」というのである。それは確かに、あらゆる衆生に最高の仏になる可能性を認める点で、高い理想主義ともいえるが、他方で他の可能性を否定する独尊主義に陥る危険性を持っている。

しかし、このことをまた別様に解釈することもできる。私はそれを苅谷定彦に従って、「一切衆生は菩薩である」と定式化するのが適切だと考えている（苅谷『法華経一仏乗の思想』、一九八三）。菩薩というのは、仏になるための修行中の身であるから、「一切衆生は仏になることができる」をこのように言い換えても問題ないであろう。遠い未来の成仏のことをいわれるよりも、今のあり方を「菩薩」と規定するほうが、ずっと分かりやすい。

それにしても、一切衆生が菩薩の修行をしているわけでもないのに、この言明は何を意味するのだろうか。ここで、菩薩の実践は他者と関わることを前提にしていることに改めて注意してほしい。『法華経』で小乗として蔑視される声聞とか縁覚とかは、他者とまったく無関係に、自分だけで修行して悟りを開くことが可能だと考える。しかし、先に述べたように、他者なしに自己だけで自立することははじめから不可能だ。それ故、声聞や縁覚はそもそも成り立たず、菩薩の実践のみが可能ということになる。

そうであれば、「一切衆生は菩薩である」というのは、まずその実践の可能性として、あらゆる衆生は他者との関係なしに存在し得ない、ということを意味していると解してよい。これを私は「存在としての菩薩」と呼んでいる。まだ具体的な実践に立ち入っていないからである。その前提に立って、後に見るように、『法華経』の第二類に至って、「実践としての菩薩」が説かれるようになる。

過去世から未来世まで付きまとう仏

ところで、ただ「存在としての菩薩」が「一切衆生は他者なくして存在し得ない」というだけのことであれば、取り立てて大きな問題にするまでもない。それをさらに一歩進めているのは、『法華経』第一類の残りの第三章から第九章までである。これらの章では、自分たちが、自分の悟りだけで満足する声聞だと思っていた仏弟子たちが、本当は菩薩だと仏陀から告げられて、混乱しながら、それを受け入れていく過程が描かれている。

例えば、第三章で、仏が弟子の舎利《しゃり》弗《ほっ》に対して説くところでは、「自分（釈迦仏）は過

菩薩の根拠

過去世 ― 釈迦仏の教化 → 菩薩行
↓
現在世 ― 忘却 → 自覚（想起） → 授記
↓
未来世 ― 菩薩行 → 成仏

去二万億仏のもとで、最高の教えをもってお前を教化して、お前もその修行をしていた。ところがお前はそれをすべて忘れて、自分だけの悟りに満足していた」というのである。それを想い出し、自ら菩薩として自覚して、それを仏が了承し（授記という）、それをもとにして、未来世の菩薩としての修行を続けるというのである。

つまり、菩薩であることは、現世（現在世）で完結しているのではなく、はるか昔の過去世から、はるか彼方の未来世へ向けて長い修行が続いていくのである。そして、仏という他者がその間、ずっと付き添い、付きまとうのである。これが、「存在としての菩薩」の基礎構造である。

ミイラ化した多宝如来と合体

『法華経』の第二類では、「存在としての菩薩」を前提として、「実践としての菩薩」が説かれる。そこで注目されるのは見宝塔品《けんほうとうほん》である。ここで宝塔が出現し、その中に多宝《たほう》如来が瞑想に入ったまま、ミイラ化した状態で坐っている。即ち、死者としての仏である。そして、釈迦仏がその宝塔に入る。つまり、死者と合体することで、そのパワーを完成するのである。そして、その死者と合体した仏のパワーを受け止めて、実践へと向かうのが、大地から出現した「地涌《じゆ》の菩薩」たちである。彼らは死者と合体した仏の力を現実の場にもたらしていくのである。

ここでは、『法華経』についてこれ以上詳しく論ずる余裕がないが、この「地涌の菩薩」であることを目指したのが日蓮である。先に述べたように、死者たちこそ歴史の主体だと主張する上原専禄は、熱心な日蓮信仰者であった。その理論は、他者の第二層としての死者たちで終わるのではなく、第三層としての神仏に関わってくることが知られるであろう。しかも、その仏自身が、死者のパワーと一体化していくのである。第二層の死者と、第三層の神仏は、重層化されつつ一体化してはたらくのである。

3　世界の生成と「原-倫理」

『法華経』における菩薩は、はるかなる過去世から仏という他者と関わり続けてきたこと、そして今新たな自覚とともに、未来世へ向かって菩薩行が続くことを示していた。そこでまず注意すべきは、時間の捉え方である。菩薩行は、他者と関わるということと同時に、それが輪廻を繰り返す中で実践されるという点が特徴である。もしその点が受け入れられなければ、ごく一般的、公共的なレベルでの倫理で終わってしまうであろう。

輪廻は、近代の正統派の思想ではほぼ完全に抹消されたが、先に見たように、神智学の霊魂論では中心的な思想となっている。今日では、ダライ・ラマ十四世の教えを通して、かなり広く受容されている。しかし、個の霊魂の輪廻を認めると、男女の性交渉から子供が生まれ、それによって文化が継承されていくという事実と、どう折り合いを付けるかが問題になる。輪廻の因果関係は生物学的な因果関係と異なるから、前世の活動がもとになって現世の生が規定されるというような理屈は、科学的な因果と合わなくなる。6章で取り上げた『哲学雑誌』の論争で、加藤弘之が主張したのもそのことであった。

それに対して、清沢満之の『宗教哲学骸骨』では、輪廻転生する主体の転化こそ正系であり、それに対して親子の遺伝は同体ではなく、異体であるから傍系《ぼうけい》だとしている。それは次頁の図のように描かれる。もっとも、正系・傍系という言い方では、同レベルでの正傍の対比になってしまい、その点に疑問が残る。輪廻しつつ菩薩の実践をして悟りという理想に向かっていくというのは、必ずしも物理的な時間軸と同じレベルでのことではない。しかし、因果の流れは単一ではなく、複数の因果が複雑に絡み合っているという見方は注目に値する。

清沢満之における時間軸
（『宗教哲学骸骨』）

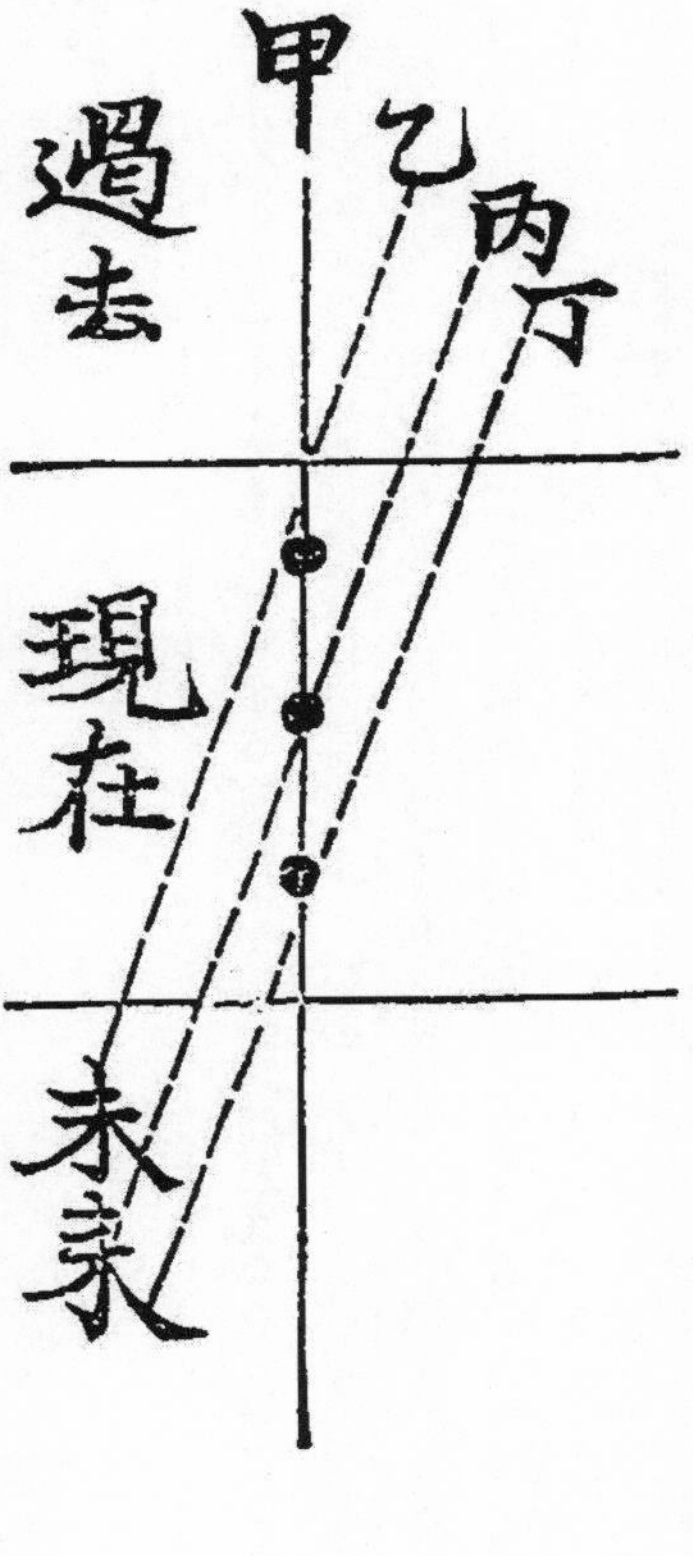

甲：正系（霊魂開発）
乙･丙･丁：傍系（両親等）

複数の時間軸を生きている

重要なのは、私たちは唯一の時間軸の中を生きているのではないということである。日常の普通の生活の中にあっても、体験する時間は物理的時間と異なり、等質ではない。退屈な時間は長いし、楽しい時間は短い。また、よくいわれるように、時間はただ直線的に流れるだけでなく、循環的でもある。毎日同じように朝日が昇り、毎年同じように年中行事が繰り返される。このように私たちは複数の時間軸を生きている。まして、他者的・霊性的次元の時間は、公共的次元の時間とは次元そのものが異なっている。それ故、霊性的世界での過去世・未来世の時間は、確かに現在世に投影すると、直線上に位置づけられるが、それはある意味では譬喩《ひゆ》でしかない。相対性理論が説くように、そもそも時間も空間も歪みを持っている。それは決して等質的、直線的に流れていくわけではない。

もう一つの問題は、既に何度か言及したように、個体性がどれだけ維持されるかということである。そもそも現在世においても、十界互具に見られるように、自己のうちに他者が含まれ、個体の統一はかなり危ういものであった。霊性的世界でも必ずしも清沢のいうように一なる主体が不変であるわけではない。個体性はある程度維持されるかもしれないが、その持続性は保証されない。この点で、清沢の論には疑問がある。

それでは、結局倫理の主体は成り立たなくなってしまうのではないか。行為の結果を引き受ける責任の主体がなければ、倫理は成り立たないのではないか。第三層の他者である神仏と関係するとしても、主体が最後まで維持されるのでなければ、結局倫理の根拠はなくなって、曖昧化してしまう。これは、先にも触れたように、神秘主義的傾向を持つ宗教的世界観が、しばしば批判を受けるところである。

法身的根源はビッグバン的状態

それに対しては、前章で考察したように、個体性を超えた霊性的領域の深みということが考えられなければならない。それはまさしく底知れぬ領域で、私たちの力でどこまで入り込むことができるのか分からない。倫理もその根源に根差すものでなければならない。そうでなければ、所詮は表面だけの浮いたものになってしまうであろう。

その根源では、他者性さえも解消していくので、あたかも虚無的な穴に堕ちてゆくかのように思われるかもしれない。しかし、それが虚無ではないことは、はっきりといえる。なぜならば、もし虚無ならば、そこから世界が立ち現われ、神仏が出現することが不可能になってしまうからである。前章に述べたように、第三層の神仏は、仏教の用語を使えば報身的《ほうじん》である。それを生み出してくる法身的な根源は、個体化を超えつつも、個体化を生み出していくはたらきを持っている。

それは、いわばエネルギーの渦のような「場所」であり、譬喩的にいえば、宇宙の創成期のビッグバン的な状態ともいえる。私たちの日常では常識的なニュートン力学で済ませられる問題も多いが、宇宙の創成期になれば、常識を超えた最先端の量子力学によって開拓されていかなければならない。それと類比的に考えることができる。

このような領域は、前章の井筒俊彦の世界の立ち現われの図式（二一五頁）でいえば、Cの無意識の領域から、Bの言語アラヤ識を経て、Mの想像的イマージュの場所へと進んでいく段階ともいえる。先にも述べたように、井筒の図式は人間の意識構造として主観的な方向性で論じているので、やや狭小であるが、それを世界生成の構造図式と見るならば、まさしく万物の根源からの立ち現われの過程として読むことができる。

世界形成に関する諸説

世界形成にはさまざまな類型が見られる。世界形成論が類型的にもっとも進んだインド哲学では、その基本的な類型として、積聚《しゃくじゅう》説と開展《かいてん》説があるという。積聚説は、原子（アトム）的な要素が合成されることで世界ができ上がると見るもので、ヴァイシェーシカ派に代表される。これに対して、開展説は、根本原理の展開（転変）から世界ができ上がってくるというもので、サーンキヤ派の説が代表的である。サーンキヤ派は、精神原理であるプルシャと物質原理であるプラクリティの二原理を立てる。純粋観察者であるプルシャによってまなざしを向けられることで、プラクリティがはたらき出し、世界を展開していくというのである。

ヴェーダーンタ派では、この二元論を解消して一元論とする。ヴェーダーンタ派を代表する不二一元論《ふにいちげんろん》によれば、根本原理であるブラフマンから「未展開の名称ｰ形態（ナーマルーパ）」ができ、そこから無明《むみょう》の力で幻（マーヤー）のような世界が現われるという。この世界形成論は、先の井筒の図式ともっともよく合致する。「世界（意識）のゼロポイント」であるブラフマンから、Cの無意識の領域である「未展開の名称ｰ形態」が生じ、そこから無明の力のはたらくBの言語アラヤ識を通して、マーヤーであるM（想像的イマージュの場所）の世界を創り出すのである。太極から世界の展開を説く宋学《そうがく》の世界形成論も、これに近い類型と考えられる。

さらに第三の世界形成論として、世界創造説が考えられる。その典型は、ユダヤ系に発する超越的一神論であり、世界を超越した絶対神によって、この世界は無から創造されたと説く。キリスト教やイスラーム教はこの系統に属する。

虚無でもカオスでもない

このような世界形成に関する諸説は、どれが正しいというわけでもないし、また、非科学的な単なる空想として斥《しりぞ》けるのも適当でない。本来、人間の言語が通用しない世界の根源を言語的に説明しようとすれば、それは矛盾した言語となり、多様なイメージの世界が展開することになる。

ただ、そこから世界の構造が立ち現われてくるとすれば、それは虚無でないとともに、単純なカオスともいえないであろう。それ自体は秩序化されていないかもしれないが、秩序が生まれる「原－秩序」あるいは「原－構造」のようなものともいうことができる。そこで、もう一度倫理という問題に戻って考えると、もちろんその領域は善悪という倫理的基準をも超えている。というよりも、善悪の基準そのものがこの原点的な「場所」からの贈与に基づいて成り立ってくるのである。その意味では、「原－倫理」の「場所」ともいうことができる。

倫理の個別的条目が超越神から、あるいは第三層の神仏から贈与されるということもあるかもしれない。しかし、「原-倫理」となると、個別条項が規定されるわけではない。さまざまな宗教や哲学から見ると、世界の根源からの「原-倫理」は、光のような象徴によって表わされることが多い。あえていえば、世界を生み出していく根源としての胎動的なエネルギーの炉心から生ずる光のようなもの、それが「原-倫理」であろう。そこから、どのように個体化された存在が形成され、そこに具体的な倫理が形成されるのか。今度は、これまで源流へ遡ってきた方向性を転じて、個別化が形成される生成の方向を考えていかなければならない。それはまさしくイメージとしての「神話」の形成になる。

本書では、その具体的な展開には立ち入らない。しかし、ここで触れておく必要があるのは、「原-倫理」が善悪の基準を超えてしまうならば、それは善の根拠でもあるとともに、悪の根拠でもあり、結局善悪の基準を立てる倫理が生まれないことになってしまわないか、という疑問である。それに関しては、改めて十界互具の構造を考えてもらいたい。衆生は仏から地獄までの要素を持っていて、決して善だけではない。地獄の要素が肥大化していく可能性も十分にあり得る。そのことを前提にした上で、あえて向上を目指して長い道のりを進もうとするところに、菩薩の倫理が成り立つのである。

神智学では、個人の霊性の進歩と人類の進歩が歩調を合わせることが前提とされていた。その点で近代の進歩主義の要素を残している。今日では、その楽観論は通用しない。ポスト近代の人類は、あるいは危険な悪の道へと進むのかもしれない。しかし、すべてが悪に化するわけではない。その中で希望の灯をともし続ける道が消えることはない。菩薩とは、輪廻を繰り返す長いスパンの中で、理想と希望を捨てることなく、他者と関わり続ける道である。

ここで、もう一点補足しておきたい。それは、世界の根源が宇宙生成の譬喩で語られるとすると、その終焉はどうなるかということである。先ほど、根源は虚無としては考えられないと述べた。確かに出発点には、そこから万物を生み出してくる力が必要だ。しかし、終局として帰着するところは、あるいはブラックホールのようなものにすべてが吸い込まれていくという可能性もあるかもしれない。

インドの世界観では、この世界はブラフマー神によって創造され、ヴィシュヌ神によって維持され、シヴァ神によって破壊されるという。世界の創造－維持－破壊もまた繰り返されるのである。仏教でも世界は、成劫（成立）→住劫（持続）→壊劫（破壊）→空劫（空虚）を繰り返すという。本書の最初に述べたように、今日、人類や世界の崩壊ということも念頭に置く必要がある。そうなると、絶対神的一神教における終末論も含めてさらに検討が必要である。この点に関しては、今は立ち入らず、別の機会に譲りたい。

4 根源と「破れ」

ところで、仏教は世界の根源についてどのように考えるのであろうか。この点に関して、前節では十分に立ち入らなかった。はたして仏教はこの問題に関して、寄与するところがあるであろうか。

仏教ではもともとは色・受・想・行・識の五要素（五蘊）を考えるので、積聚説に近い。ただし、仏教は人間のあり方を問うので、この場合も、客観的世界の構造ではなく、人間が身体的要素（色）と精神的要素（受・想・行・識）からなっているということである。人間以外の世界の生成は関心の中心にはなく、むしろそのような理論を形而上学として否定する。

ところが、大乗仏教になると、人間論だけでなく、世界形成の問題にも関心を持つようになり、形而上学的理論が形成される。「空」の理論については、前章でも触れたが、しばしば誤解されるように、他者的・霊性的領域の議論を否定するものではない。「空」とは、他者的・霊性的世界には実体化されるような固定的なものはないということであり、また、すでに見たように、その領域の議論は矛盾した言説を認めなければならないということである。それ故、「空」の理論を振り回すことは不毛であり、「空」への執着になるだけである。絶対的、固定的な唯一のあり方がないからこそ、そこには多様なイマージュの世界が奔放に構想され、展開されることになる。それは、具体的にどのように構想されるであろうか。

心の問題の出発点は「三界唯心」説

仏教の場合、もともと悟りを求めるという課題が中心であるから、外的世界もまた、人間の問題と密接に関係し、そこから発展する。したがって、それは瞑想する心に対応する世界であり、「心」の問題に還元する唯心《ゆいしん》論が核となる。もっとも本来からすれば心身の問題として展開すべきであるが、「心」のほうに重点が置かれていく。このことは、心身の制御を目指すインドのヨーガ派でも同じである。大乗仏教の心の理論の出発点は、『華厳経』に見える「三界《さんがい》唯心」説である。三界は欲望世界（欲界）・物質世界（色界）・非物質世界（無色界）を含む全世界である。それが「唯心」であるとはどういうことなのか。それをめぐって諸説が展開されることになった。

一つの流れは唯識《ゆいしき》説であり、世界形成を意識構造の形成から考え、その根源を「アーラヤ識」（阿頼耶《あらや》識）という無意識の流れとして捉えた。その極端な形としては、世界も意識の側に還元され、「アーラヤ識」が唯一の世界の立ち現われの根底とされる。もっとも、それは単純に客観的な物質世界を主観的な意識に還元する唯心論ともいえず、むしろ主観・客観の対立以前へと戻ることと捉えることもできる。

そう見るならば、それはフッサールの現象学と近いものと考えられる。フッサールの現象学は、現象学的還元によって意識のあり方の根本構造を捉えようとしたもので、そこに客観の側のノエマと主観の側のノエシスが形成されるとする。ただ、それが意識構造の分析である限り、それを破って外なる世界に出られないというジレンマを抱える。唯識の理論も、主観・客観の対立以前といいながらも、結局は意識の側からの追究は、突き詰めると主観の意識の側に回収され、唯心論となってしまう危うさを秘めていた。

ただ、それを唯心論的な方向ではなく、世界の根源として捉え直すことは不可能ではない。先に見た井筒俊彦の理論でもB領域が「言語アラヤ識」と呼ばれていたように、世界そのものの運動と見ていくことは不可能ではない。そのような観点からアーラヤ識説はなお有効性を持っている。

悟りの原理としての如来蔵説

もう一つは如来蔵説である。それはやはり心を根底に置くが、それを悟りの原理と見るものである。アーラヤ識説では、なぜそのような「心」が悟りへと向かっていくのか、その必然性が十分に説明できない。そこで、その悟りの原理が衆生の心の底にすでにあり、それを顕在化していくことが悟りだと考えた。如来蔵はまた、仏性《ぶっしょう》ともいわれる。

この如来蔵説が東アジアの仏教で根本に置かれるようになるが、その際、『大乗起信論』がその理論的根拠とされた。そもそも如来蔵説自体が、インド仏教では必ずしも正統的な位置づけを与えられなかったが、まして『起信論』は、六世紀の中国で成立したという説が有力で、東アジア世界でしか用いられない。けれども、東アジアでの影響は絶大なものがあった。『起信論』では、如来蔵を根本に置きながら、アーラヤ識を取り込み、意識の動的なダイナミズムを解明しようとしているからである。そこでは、如来蔵はアーラヤ識よりさらに深いところにある根源原理とされた。井筒の図式でいえば、B領域の底の

C領域に相当することになる。
唯識派のアーラヤ識の理論では、基本的には個別化された意識の範囲でその原理が探究される。そのためにその唯心論は他者への通路を欠き、独我論に陥る危険を孕んでいる。如来蔵説はその個体性の限界を突破する。如来蔵は個別化した原理ともなり得るが、個別性に留まる限り根源的とはいえない。個別性の次元をさらに超えなければ、根源的とはいえない。アーラヤ識が個別的にそれぞれ異なる内容を持つのに対して、悟りの原理である如来蔵は個別化を超えていなければならない。その点で、如来蔵は真如＝法身と一致する。真如＝法身が具体的にはたらき出すのが如来蔵と考えられる。そして、それがアーラヤ識となることで、個別化されていく。

それでは、如来蔵＝法身＝真如が最終的な世界形成の原理であろうか。しかし、そう言明され、実体化されるならば、すでにそれは根源ではない。さらにその底にゼロポイントが求められなければならない。そのゼロポイントとは何であろうか。前章で触れたように、ここに世界の「破れ」、あるいは「穴」があり、他者的・霊性的世界をも超越した超越的一神、即ち、存在するとさえいえないような×を付けた「神」へと通ずるのかもしれない。世界が完結し、「破れ」が一切ない完成体として、いわば袋の中に閉じ込められたようにあるとは考えにくい。

衆生が如来を胎内に持つ

なお、仏性＝如来蔵に関して、いささか余談的に付言しておく。ここまでの議論では、仏性＝如来蔵はあたかも抽象的な原理であるかのように見えるが、それでは、それは具体性を持たないのであろうか。そうではない。「如来蔵」（タターガタ・ガルバ）の原義に関しては、いくつかの解釈が可能であるが、有力な解釈の一つは、衆生が如来を胎内《たいない》に持つという意味に取るものである。『法華経』では、仏が他者として捉えられていたが、如来蔵説によれば、その他者が私自身の胎内に入り込み、他者を孕んでいるのである。考えてみれば、もともと妊娠するということは、胎内に他者を孕むことであり、出産とはその他者が他者として生まれることである。男だからといって、胎がないわけではなく、如来という怪物を孕んでしまっているのである。何かとんでもない事態が起こっているのだ。その怪物を出産することができるのかどうか。それは何ともいえない。

ちなみに、如来蔵と同義に扱われる「仏性」もまた、奇妙な言葉である。「ブッダ・ダートゥ」が「仏性」と訳されたために、きわめて抽象的な原理と解されるようになったが、もともと「ダートゥ」は要素の意であるとともに、仏の遺骨（舎利《しゃり》）をも意味する。つまり、「ブッダ・ダートゥ」は、イメージとしては、仏の遺骨が私の身体に刺さっていて抜けないことと見ることもできる。これもまた、如来蔵と同じように、仏という他者が私を傷つけ、侵食していることに他ならない。大乗仏教が徹底的に他者論を根底に置いて展開してきていることが知られよう。

9章
理想と夢想
——もう一つの近代の道

1　霊性論の両義性

前章で、倫理の問題から霊性的世界の根源に進み、「原―倫理」へと到達した。「原―倫理」では、善も悪も一つとなり、あえていえば、そこからは「倫理」とともに「反―倫理」も生まれることになる。あるいは、「倫理」は複数生ずるものであって、相反することがあってもおかしくない。もちろん公共性の領域に限るならば、そこで相互に契約を結び、ルールとしての倫理が成り立つ。ルールがなければ、無秩序の混乱に陥るであろう。

だが、他者が関わってくると、途端にルールは一元化できなくなる。他者はどのように現われてくるか分からない。善意であるか、悪意であるか、天使であるか、悪魔であるか。あるいはそもそも一義的に決められず、多義性を持っているのかもしれない。何が善で、何が悪であるかを決める原則自体が一義的に決定できないので、異なった原則のシステムが複数拮抗《きっこう》することになる。

ところで、話をややこしくするもう一つの要因は、他者の問題が個対個の問題に限られず、そこに集団の問題が関わってくることである。その集団も、家族レベルから次第に規模を拡大し、国家や民族の問題になると、きわめて厄介な事態が大規模に生ずる危険が大きくなる。集団が大きくなればなるほど、個対個以上に、暴力は過激化し、しばしば残忍な結果が引き起こされる。今日から見ると、逆説的なようだが、中世は普遍主義が成り立つ時代であった。ヨーロッパ世界はキリスト教の信仰とラテン語という共通言語によって、部分的な抗争があっても、全体としては大きな枠で括《くく》られていた。イスラーム圏も同様であり、東アジアであれば、中国を中心としながら、漢字文化圏が成立し、朝貢貿易圏としての秩序が形成されていた。

単一に測りきれない集団の倫理

それが、近代の国民国家の形成の中で、それぞれの民族が国家として対抗し、力と力のぶつかり合いが生ずる。まして、その力関係が決定的に異なる植民地に対しては、十六世紀の南米に見られるように、民族自体を壊滅に追い込むことも、あり得ないことではなかった。それが、最終的に二十世紀になって二度の世界大戦を引き起こすことになった。第二次世界大戦においては、ナチスの大量虐殺とともに、核兵器という大量殺人兵器が用いられ、この次の第三次世界大戦が起これば、相互の核兵器使用で人類が消滅することも、決してあり得ない事態ではなくなった。それに加えて、地球環境の汚染ももはや予断を許さなくなった。

そうした状況の中で、霊性論的な「原 - 倫理」に拠点を置きながら、国家や世界にまで及ぶ具体的な倫理を確立することができるのであろうか。菩薩の倫理というだけでは抽象的である。それが現実の国家や世界の場でどうはたらくかが検討されなければならない。

国家レベルの問題になると、国家の中に膨大な人間を含み、その生死を左右することになる。個人の問題であれば、生命を賭して信念に殉ずることもあり得るが、国家の場合、国民の生命を犠牲にするわけにはいかない。国家は、一方でその内なる国民に対する行動原理を要し、もう一方ではそれ自体が単位として他者なる別の国家と対峙する。

だが、国家を根本的な単位とするのが適切かどうかということになると、なお検討の余地がある。今日、ひとつの国家の中でも民族間の対立がしばしば大量の虐殺にまで至ることがある。民族や宗教もまた重要な単位と考えなければならない。アメリカにおける人種問題はもちろんだが、日本でも韓国・朝鮮人に対する蔑視は底流として流れ続け、度々ヘイト的な言動として噴出する。さらには、ひとつの国家内でも地域による差異もあるし、経済的格差もまた考えなければならない。このように、集団の倫理は、個人の倫理以上に複雑な要因が絡み、単一の倫理では測りきれない。あるいはそもそも、そこに普遍的に成り立つ倫理的な原理があり得るのかどうかさえ問題とされることになる。単純に国家を単位とすることはきわめて危険である。

2章に述べたように、近代の啓蒙主義は普遍的な理念が成り立つと考えた。その崩壊がポスト近代へと向かわせることになった。その過程で、二十世紀にはなお普遍主義の可能性は有力に信じられた。その典型的な運動がマルクス主義だった。もっとも、最初有力だった世界同時革命論はやがて一国社会主義論に取って代わられ、やがて狭隘な国家エゴへと落ち込んでいくことになった。

含意された人種の優越

神智学の霊性論は、十九世紀的な状況の中で、当時の進化論的な科学を吸収しながら、マルクス主義の唯物論とまったく逆に霊性的世界を開発することにより普遍性に到達することを狙った。すでに述べたように、その根本は、宗教の表面的な「顕教」の相違に捉われずに、それらの本質に当たる「秘教」を掘り下げることで、あらゆる宗教や哲学に共通する霊性の真実を解明するところにあった。それ故、そこにはマルクス主義の唯物論的普遍性と異なる霊性的な普遍性が見出されることになる。実際に神智学の理論が、そのような普遍性を満たしていたかどうかはともかく、その志向する方向は明確である。

ところが、神智学は、そのような普遍性の方向と、いささか異なる面を持っていた。ブラヴァツキーの『シークレット・ドクトリン』は、壮大であるとともに混沌としているが、基本的には宇宙生成論的な議論から出発して、人類の進化史へと進む。ブラヴァツキーによると、地球上の人類は七段階を経て進化する。そのうち、現在は第五段階であり、その中心となる人種はアーリア人種である。その前の第四段階では消えた大陸アトランティスに住んでいたが、大洪水によって滅びてしまった。エジプトやヒマラヤなどに生き残った指導者たちが「大師」（マハトマ）として、第五段階のアーリア人にその智慧を授けたというのである。

このように、ブラヴァツキーには強いアーリア人優越主義がある。アーリア人優越主義は、インドがイギリスの植民地となって、サンスクリット語文献が西欧に知られるようになったことに発する。西欧諸語はギリシア－ラテン語に由来すると考えられていたが、サンスクリット語の研究によって、それが同じ系統で、しかもギリシア語よりさらに古い祖語ではないか、とさえ考えられるようになった。それらの言語をインド－ヨーロッパ語族と総称するとともに、それらの言語を用いる民族をまとめてアーリア人と呼ぶようになった。「アーリア」はサンスクリット語で「聖なる」という意であり、すでにそこに人種の優越が含意されている。「アーリア人」という呼称は、インド学者であり、比較宗教学の創始者でもあるマックス・ミュラーの研究に由来するという。

差別主義を強める方向も

こう見ると、神智学には霊性の普遍主義とともに、アーリア人優越説という人種の優劣論が含まれていて、その両面を持っていることになる。神智学がとりわけインドに目を向けたのはこのような理由による。ブラヴァツキー没後、ベサントはその霊性普遍主義を表に出して、アーリア人優越説を弱め、また、ブラヴァツキーの反キリスト教的な面を修正して、キリスト教もまたその「秘教」においては、神智学に合致するものと考えた。ただし、ベサントもインド自治権運動の中では、このアーリア人優越説を用いているので、その点が払拭されたわけではない。

このアーリア人優越説は、神智学者たちによって広く共有される。例えば、シュタイナー教育によって評価されるルドルフ・シュタイナーは、神智学から離れて人智学を唱えたが、その基本的な理論は神智学を継承している。シュタイナーは、アーリア人優越説をさらに発展させて、アーリア人の中でもインド人から次第に文化が高度化していき、ギリシア・ラテン文化の後にはゲルマン文化が来ると考えていた（大田俊寛『現代オカルトの根源』、二〇一三）。

こうなると、アーリア人優越説はさらにゲルマン人優越説へと特殊化され、ナチスによって大きく活用されることになった。ナチスは単なる政治思想ではなく、その根底に霊性論を持っている。その面を強調したのはナチスのイデオローグであったアルフレート・ローゼンベルクであった。ローゼンベルクはベストセラーとなった著書『二十世紀の神話』（一九三〇）において、アーリア人優越説の立場から反キリスト教、反ユダヤ人の歴史観を展開し、キリスト教の屈辱教理、奴隷根性の代わりに、北方的なドイツ・ゲルマン的精神こそが新たな指導原理になると説いた。

ローゼンベルクは、そのゲルマン主義の出発点をマイスター・エックハルトの神秘主義に求めた。彼によると、エックハルトは神への自己放棄を説くキリスト教的な神秘主義に対して、神と一体化する高貴なる魂を説いた。その魂は、一方で永遠の至福を享受するとともに、他方で現世において断固として闘いへと向かう。そこに、自由なる魂とともに、血の宗教、血の神話が生まれる。エックハルトによって確立されたゲルマン主義は、その後、ゲーテやベートーヴェンなどを通して、大きく開花していったというのである。

このように、霊性論は直ちに普遍主義に結びつくとは限らず、かえって人種主義に向かい、差別主義を強める方向性をも持っている。もともと霊性論には、誰でも高度な霊性の神秘を理解できるわけでなく、選ばれた少数者によってはじめて到達されるというエリート主義が付きまとう。そのエリート主義は個人的なレベルに留まることもあるが、人種や民族に結びつくと、ある特定の人種、民族こそがもっとも深い霊性的真理に到達しているという人種優越論、民族優越論になる可能性を持っている。

滑稽で有害な自民族優越論

それでは、目を転じて、日本の場合はどうであっただろうか。平田篤胤とその門下の霊性論はナショナリズム的な心情と結びついて、明らかに日本優越論を説く。日本神話こそ世界のあらゆる神話・宗教の源泉であり、他の神話や宗教は、日本の正しい古代の神話が誤って伝えられたものだという。その説は平田門下の六人部是香や大国隆正によっても共有されている。そうなると、日本の天皇は日本の支配者というだけでなく、世界全体の支配者ということになる。

さすがに開国して、欧米の先進文明に触れると、そのような優越論では対応できないことが明らかになり、衰退する。ただ、その意識はその後も継続する。天皇が世界の支配者だという説は、さすがに多数派を占めることはなかったが、中国戦線で戦死し、軍神と讃えられた杉本五郎の遺著『大義』（一九三八）には、天皇を絶対神的に尊崇する態度が見られる。

敗戦後にはどれほど厚顔無恥でも世界でもっとも優越するとはいえなくなったが、「アジアの中ではもっとも近代化に成功した」というように、「アジアの最先進国」であり、「擬似欧米」であることをアジアに対して誇り、アジアを蔑視することで、その鬱憤を晴らしていた。それ故、エズラ・ヴォーゲルによって『ジャパン・アズ・ナンバーワン』（一九七九）といわれた時には、すっかり有頂天になったものの、それも長く続かなかった。実情にそぐわない自民族優越論は、結局のところ無理に無理を重ねるだけで、滑稽なだけでなく、有害でもある。背伸びして、偉そうな風を装ったところで、何のよいこともない。まず大事なことは、自己をしっかりと正しく認識することである。

宗教間対話と霊性の根底

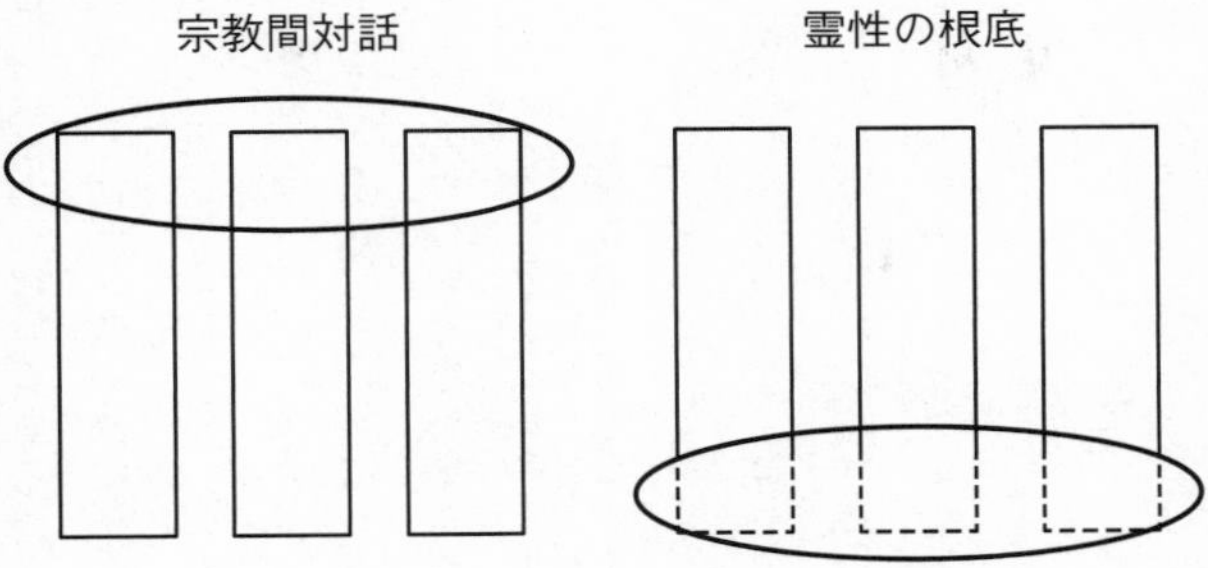

2　夢想としての平和主義

霊性論が人種差別論やエリート主義と結びつく可能性を見た。しかし、神智学がすべての宗教の根底を掘り下げていくことを目指し、その根底に共通する構造を見出そうとしたことも事実であり、その普遍性の志向を無視するのは適当でない。西田幾多郎や井筒俊彦などの哲学者も、同じように諸宗教の根本の普遍構造を取り出そうとして苦闘しており、そのような努力が無意味とは思われない。本書も不十分ながら、その志向を受け継いでいることは、前章までお読みいただければ分かっていただけるであろう。

それに対しては、それぞれの宗教や民族の発想は異なっているので、それらの共通の根底構造を問うのは無理だ、という意見もあるだろう。「宗教間対話」ということは近年盛んになっている。それは、それぞれの宗教の立場の相違を前提として、それらの共通するところを議論することになる。いわば、それぞれ根底が異なる宗教の上澄みの最大公約数的な共通点を求めようというのである。それに対して、霊性の根底を探究する立場は、表面上は相違していても、その根底においてはあらゆる宗教は共通するという普遍主義的な立場に立つ。

もちろんそのような普遍主義が成り立つかどうか分からない。というよりも、啓蒙の普遍性が消えたことで、ポスト近代の動向は、普遍主義の不可能性を前提として、そこに覇権主義が展開するようになっている。しかし、普遍主義は西洋の啓蒙的普遍主義だけではない。本書で論じてきたのは、それとは異なり、東西の融合の中から生まれた霊性的な普遍主義もあり得るのではないか、ということであった。もしそれがあり得るとすれば、近代からポスト近代になだれ込むのとは異なる近代の道が考えられるのではないだろうか。

振り返ってみると、2章で見たように、日本国憲法の前文には二箇所、「普遍」という言葉が出ていた。そこでは、それを近代啓蒙の普遍性の流れで捉えた。しかし、それでよかったのだろうか。そこに、もしかしたらそれとは異なる霊性的な普遍性が意図されているのではないだろうか。そのような言い方をすると、そんなところに霊性が出るわけがないと、頭から否定されるかもしれない。しかし、少しは検討する価値がありそうだ。

前文が変えた憲法第九条の意味

ここでは、前文に二箇所出る「普遍」のうち、後のほうを問題にしたい。即ち、平和主義に関わる普遍性である。２章で引用したが、そこで省略した部分も含めて、少し長く引用してみよう。

> 日本国民は、恒久の平和を念願し、人間相互の関係を支配する崇高な理想を深く自覚するのであつて、平和を愛する諸国民の公正と信義に信頼して、われらの安全と生存を保持しようと決意した。われらは、平和を維持し、専制と隷従、圧迫と偏狭を地上から永遠に除去しようと努めてゐる国際社会において、名誉ある地位を占めたいと思ふ。われらは、全世界の国民が、ひとしく恐怖と欠乏から免かれ、平和のうちに生存する権利を有することを確認する。
> われらは、いづれの国家も、自国のことのみに専念して他国を無視してはならないのであつて、政治道徳の法則は、普遍的なものであり、この法則に従ふことは、自国の

主権を維持し、他国と対等関係に立たうとする各国の責務であると信ずる。

公式の英訳と較《くら》べてみると、「恒久の平和を念願し」はdesire peace for all time（どんな時も平和を欲し）、「崇高な理想」はthe high ideals（高い理想）であり、日本語のほうがかなり力の籠もったよそ行きの言葉を使っていることが分かる。

この前文が、第九条の戦争放棄条項につながるが、古関彰一によると、もともと第九条には「平和」という言葉はなかったという（『日本国憲法の誕生 増補改訂版』、二〇一七）。つまり、もとはきわめて実務的に敗戦国の武力を解体することが目指されていた。ところが、前文が加わることで、第九条も加筆されて、そこに理念が加わることになったのである。前文が第九条の意味を変えたのである。

前文は、「きわめて哲学的、理念的、思想的かつ宗教的ですらある」（同、三四三頁）と古関が評するとおり、法律の文面としてはいささか異質である。それについて、古関は、「民政局の幹部が自ら起草したのではなく、キリスト者、あるいは平和主義者が素案を起草したと考えざるを得ないのである。著者は、日米のフレンズ（クエーカー教徒）の人々がかかわったのではないかと推測している」（同、三四四頁）と記している。当時の状況を考えれば、あり得ることであろう。

それにしても、自国のことだけでなく、「いづれの国家」とか「各国の責務」と、他の国のことにまで言及しているのは、きわめて大胆なことである。確かに「平和を愛する諸国民の公正と信義」を信頼できなければ、成り立たない。その点で、非現実的で、ほとんど空想的だといわなければならない。平和主義というと、今日では左派の独占物のようになっているが、当時はむしろ逆だった。日本共産党は憲法自体に反対で、自衛権を主張し、暴力革命路線に向かう時代だった。広島・長崎の原水爆反対運動が盛んになるのも、一九五四年のビキニ環礁水爆実験以後のことである。無教会主義のキリスト教者・矢内原《やないはら》忠雄は、戦後の平和主義の先導者の一人であるが、それだけでなく、禅の鈴木大拙も激烈な戦争批判を行ない、また、右派の大物保田《やすだ》與重郎《よじゅうろう》も『絶対平和論』(一九五〇)を出版している。

憲法に潜む宗教性

このように、第二次世界大戦後の平和主義は、今日考えるのと随分違う様相だった。戦争の災禍の後で、確かに平和主義を受け入れる状況ではあったにせよ、必ずしも近代啓蒙の継承とも簡単にいえない背景を持っていたようである。そのような状況は世界的なものであり、その典型はユネスコ憲章前文（一九四五）に見られる。

戦争は人の心の中で生まれるものであるから、人の心の中に平和のとりでを築かなければならない。

……ここに終わりを告げた恐るべき大戦争は、人間の尊厳・平等・相互の尊重という民主主義の原理を否認し、これらの原理の代りに、無知と偏見を通じて人種の不平等という教養を広めることによって可能にされた戦争であった。

文化の広い普及と正義・自由・平和のための人類の教育とは、人間の尊厳に欠くことのできないものであり、かつ、すべての国民が相互の援助及び相互の関心の精神を持って、果たさなければならない神聖な義務である。

ここでは、「普遍」という言葉は使われていない。しかし、最後の文の「すべての国民」の「神聖な義務」という言い方は、日本国憲法の「いづれの国家」とか「各国の責務」と近いものがある。「人の心」を重視し、そこに「平和のとりで」を築くという表現も、単にキリスト教だけに限定できない、一種の宗教性、あるいは霊性的なものをうかがわせる。

実際、ソビエト連邦のような社会主義国は当初ユネスコに参加しておらず、この前文は観念論として批判の対象とされた。このようなユネスコ憲章前文が憲法前文に影響を与えた可能性はあるであろう。

すべての宗教は根源で一つという理想

それでは、ユネスコ憲章、ひいてはユネスコの成立はどのような思想的背景を持つのであろうか。ユネスコの淵源は、一九二二年に国際連盟の中に設置された「国際知的協力委員会」であり、前文の「心の中に」云々は、フランスの詩人ポール・ヴァレリーが、「心の社会は国の社会のための必須条件である」と述べたことが淵源だとされる（岩間宏『ユネスコ創設の源流を訪ねて』、二〇〇八）。同様の思想は、他にも多くの人が表明している。

岩間宏によると、ユネスコ設立に大きな力を発揮したのは、ロンドンに本部を置く「新教育連盟」（NEF）であり、前文に「戦争は人の心の中で」云々の文を入れたのは、NEF副議長で、連合国文部大臣会議の特別問題委員会議長でもあったロンドン大学比較教育学教授ジョゼフ・ラーワライズであったという。

そこで、NEFが注目されることになるが、この組織は一九二一年にロンドンで、ベアトリス・エンソアらによって設立された。エンソアは、若い頃から神智学協会に加わったが、神智学はもともと教育による人間形成に力を入れていて、ベサントはバナーラス・ヒンドゥー大学設立の中心となってそれを実現させた。ベサントの後を受けて、神智学協会の第三代会長となったジョージ・アランデールも教育に熱心であった。神智学協会員であったエベネーザー・ハワードは、田園都市構想をロンドンに近いレッチワースに実現しようとしたが、ここにはアランデール・スクールが開校され、エンソアは夫とともにレッチワースに居住し、一九一五年にこの地に神智学教育同朋会が結成された時には事務局長となり、一九二〇年には代表理事となっている。そのような経緯から、ＮＥＦは神智学と密接な関係を維持していた。

このように、二十世紀はじめの神智学は、ある程度経済力のある知識人を中心に、さまざまな新しい文化運動の担い手となり、今日から見れば、夢想的ともいえる理想主義的な活動を展開していた。その根底には、すべての宗教は根源において一つであり、全世界が霊性的次元で統合されるという理想があった。そこから、平和は物質的次元ではなく、何よりも霊性的次元において実現されなければならないという思想が生まれ、それがユネスコに生かされたと考えられる。

普遍主義的な霊性的平和論

諸宗教が根底において一つだという信念は、神智学協会だけのものではなかった。一八九三年のシカゴ万国博覧会の時、万国宗教会議が開かれ、世界中の宗教者が一堂に会した。主催者側としてはキリスト教が中心であり、キリスト教がもっとも進化した宗教だという信念が根本にあったが、それ以外の諸宗教も同等の資格で参加した。彼らはそれぞれの民族衣装を身にまとい、次々と演壇に登って、聴衆を喜ばせた。日本からも、キリスト教者、仏教の僧侶、教派神道の神官などが参加し、とりわけ日本仏教がはじめて欧米に認知されるきっかけとなった。神智学協会も万国宗教会議に力を入れたが、もっとも評判を得たのは、インドの若き神秘主義者ヴィヴェーカーナンダであった。ラーマクリシュナの弟子として、瞑想の実践に励んできた彼は、この会議において、ヒンドゥー教を「普遍的宗教」として説き、キリスト教と異なる普遍性の可能性を示した。キリスト教もまたその普遍性に包括され得るのである。

このように、十九世紀の神智学以来、キリスト教を唯一絶対とせず、アジア、とりわけインドの宗教をベースとした霊性的な普遍性が主張され、それが欧米でもある程度受け入れられるようになっていた。第一次世界大戦後の荒廃の中で、国際連盟の設立による世界平和の理念が高まりつつある中で、霊性的、普遍主義的な平和論は、ロシアのトルストイ、インドのガンディーなどによって唱えられ、彼らと交際しながら、伝記を記したロマン・ロランなどによって広められた。それ故、その平和主義は、西欧優位の啓蒙主義的な平和主義と異なる源泉を持つものと考えなければならない。

日本では、日露戦争の際に社会主義者らを中心に非戦論が盛り上がり、宗教者としては、無教会主義のキリスト教指導者・内村鑑三の活動が知られる。徳冨蘆花も非戦論者であったが、トルストイの影響を強く受け、ロシアにトルストイを訪問している。しかし、普遍主義的な霊性論が広まるのは、大正期に入ってからで、とりわけ白樺派の活動によるところが大きい。「新しき村」を開いて理想的な共同体を目指した武者小路実篤、信仰に悩んで心中を遂げた有島武郎、神秘主義から民芸運動へと進んだ柳宗悦らが知られる。仏教系では、宮沢賢治、鈴木大拙などが注目される。しかし、彼らの思想が十分に定着し、展開する前に、戦争の嵐に巻き込まれることになってしまった。

3　霊性論とナショナリズム

日本国憲法の前文は、普遍主義的な高い理想を掲げている。そこには、上に述べたように、キリスト教の理念だけでなく、それに収まりきれないユネスコ憲章前文などに見られる霊性論的な背景がうかがわれる。しかし、昭和に入っての長い戦争期の言論統制の中で、自由な発言が禁じられ、そこに大きな断絶が生ずることになった。戦争中の弾圧は、社会主義や反戦論はもちろん、国家神道に反する宗教関係にも及んだ。その中で一貫して戦後の普遍主義的な立場につながることができたのは、南原繁・矢内原忠雄らのキリスト者たちであった。

そのために、戦後の新しい民主主義の指導者たちは、多く戦前の体制を批判するあまり、日本の伝統の文化や思想へも否定的な立場に立ち、日本の伝統を受け止めるという姿勢を持たなかった。日本国憲法自体が、確かに前文の普遍主義の理想は高いが、日本の伝統とどうつながるか、という点になると、まったく沈黙して語らない。

確かにユネスコ憲章ならば、「すべての国民」が同等であり、すべての人の心に「平和のとりで」を築こうという呼びかけも理解できる。しかし、敗戦国日本が「全世界の国民」とか「いづれの国家」とかいってもあまりに説得力がないし、一年前までは、日本は「尚武」の国だと威張っていたのが、突如「恒久の平和を念願し、人間相互の関係を支配する崇高な理想を深く自覚する」などといっても、誰が信じられようか。それだけの「自覚」があるならば、そもそも戦争など起こすことはなかったはずだ。

鈴木大拙が定義する霊性

憲法の問題は、最終章で考えることにして、ここでは、普遍的であるはずの霊性が、はたして民族の特殊性とどう折り合うのか、という問題を、もう少し考えておこう。本書では、「霊性」という言葉を、第二、三層の他者の「場所」として定義づけた。しかし、そもそも人知の十分に及ばない領域になるので、必ずしも厳密な定義はできない。死者や神仏がどこまで個体性を維持するのか、それもはっきりとしたことは分からない。個体性は絶対不変のものではなく、最初からそれほど厳密な同一性は持ち得なかった。まして霊性的領域に沈潜していくと、その個体性は融解していく。そうとすれば、そこに個体性も成り立たなくなるし、当然ながら、民族の集団性など成り立つわけもない。

だが、それでは霊性論が本当に普遍的に成り立つかというと、やはり疑問であろう。本書で展開してきた議論は、基本的には普通の日本人の感覚に基づいて、死者や神仏を考えてきている。とはいえ、日本の中でも人によって感じ方は違うから、直ちにすべての日本人に広く承認されるというわけにはいかないであろう。ましてそれが他の文化圏に翻訳されて普遍的と認識されるかというと、かなり困難なように思われる。

「霊性論」というとすぐに思い浮べられるのが鈴木大拙の『日本的霊性』であるが、大拙もまた、「霊性」の普遍性と「日本」という特殊性のずれを自覚していた。大拙は、「霊性は精神の奥に潜在して居るはたらきで、これが目覚めると精神の二元性は解消して、精神はその本体の上において感覚し思惟し意志し行為し能うもの」（同、緒言）と定義するが、これは私たちが考えてきた「霊性」とほぼ合致する。そうであれば、「漢民族の霊性も欧州諸民族の霊性も日本民族の霊性も、霊性であるかぎり、かわったものであってはならぬ」（同）はずである。

ところが、現実にはそうはいかない。民族による霊性の捉え方の差異を認めなければならない。先の文に続けて、「しかしながら、霊性の目覚めから、それが精神活動の諸事象の上に現われる様式には、各民族に相異するものがある」というのは、この側面を指している。「霊性」は普遍的だからといって、のっぺらぼうで、金太郎飴のようにどこも同じというわけではない。そこにはさまざまな凹凸や濃淡があり、多様な姿に現象していく。井筒俊彦の図式でいえば、無意識から言語アラヤ識においてこのような根源的な凹凸や濃淡が生じ、それが想像的イマージュの世界で多様性として現われるということができる。

ただ、問題はこのような多様性が「宗教的多元主義」のように、ただ多数が並立しているだけならば、それだけの話で、「みんな違って、みんないい」で終わってしまうことである。そこで比較が行なわれ、秩序化が試みられると、単なる多様性で終わらず、ともすれば優劣論が出てきてしまう。とりわけそれがナショナリズムと結びつくと、自民族の優越が含意されることになる。大拙も決してそれを免れているわけではない。その優劣論のもっとも極端な例がナチスの場合であった。

菩薩の根源的な誓い「四弘誓願」

そもそも本書の前提は、近代の啓蒙的な普遍性論の崩壊というところにあり、そこで理解不能で厄介な他者という観点から議論を進めてきた。その中で、啓蒙的な普遍性と異なる神智学などの霊性的な普遍性の主張に目を向けることになった。だが、それが本当に普遍的であり得るだろうか。どんな説にも必ず反対者がいて、百パーセント誰もが認めるなどということはあり得ない。普遍性を主張する立場自体が、じつは常に普遍的ではなく、特殊な立場に留まるのである。このジレンマは、決して解決されないであろう。

「あらゆる人は仏性を持つ」などといっても、実際にはそんなことは意にも介さない人がほとんどであって、じつは、それを認めている仏教者の間でしか通用しない説である。それでは、全然「あらゆる人」にならない。「あらゆる人」も「すべての国民」も実際には成り立たない。世界中が平和で、みんなが幸福になるなどというのは、絶対に不可能で、甘い見果てぬ夢でしかない。それでも、その夢を放棄しないこともあり得る。先に「菩薩の倫理」ということを述べたが、菩薩の根源的な誓いは四弘誓願《しぐせいがん》と呼ばれる。

衆生無辺誓願度　辺際もしれない衆生をすべて救うことを誓います
煩悩無尽誓願断　尽きることのない煩悩をすべて断ずることを誓います
法門無量誓願学　量りしれない膨大な真理の教えをすべて学ぶことを誓います
仏道無上誓願成　この上ない最高の仏の悟りを成就することを誓います

こんなことを実現できるはずがない。バカバカしいではないか。そのとおりだ。それでも、この四弘誓願を多くの仏教者が毎日読誦している。そうとすれば、そのバカバカしいことを信じて、そこから出発する倫理もまったく否定し去ることはできないと考えられるのである。

ナショナリズムの時代

神智学は、十九世紀後半から二十世紀の欧米とインドを中心にかなり広い支持を集めたものの、それでも欧米の正統的なキリスト教信仰者からすれば、少数のわけの分からない連中の怪しげな運動としか見られなかった。実際、神智学があらゆる宗教に共通する普遍性を主張するためには、顕教的なキリスト教の底に秘教的なキリスト教を設定しなければならなかった。これは正統的なキリスト教から見れば、明らかに異端的とされるような見方であろう。神智学が欧米のアカデミズムでほとんど受け入れられなかったのは、理由のないことではない。

ところで、その一方で霊性論が高まる十九―二十世紀は、同時にナショナリズムの時代であった。欧米諸国の侵略に屈辱の中で蹂躙されたアジアが立ち上がろうとしてもがいていた。一見、霊性論は普遍主義的で空想的な議論であって、ナショナリズムとは無縁のように思われる。ところが、神智学がインドを拠点とし、アーリア人種優越論を立てたことが、インドやセイロン（スリランカ）のナショナリズムを刺激し、ナショナリズムの興起に大きな力となったのである。

ブラヴァツキーとオルコットはセイロンで正式の仏教信者となり、とりわけオルコットはセイロン仏教の改革者アナガーリカ・ダルマパーラを指導し仏教復興に尽力した。ダルマパーラはセイロンの仏教復興を図るとともに、反植民地主義のナショナリズムの勃興に大きな役割を果たした。

ロンドン留学中のガンディー

インド亜大陸では、とりわけアディヤールに神智学協会の本部が置かれ、活動の中心となったが、ヒンドゥー・ナショナリズムとの関係が深まるのは、ベサントが会長となってからである（一九〇七）。当時イギリスの植民地政策は過酷の度を強めるとともに、それに反発するインドのナショナリズムも次第に勢力を増すようになっていた。その中で、当初は比較的穏健なイギリスとの協調派を中心としてインド国民会議派が設立されていた

（一八八五）。そこに、急進的なB・G・ティラクらが加わることで、活動は一気に活発化した。その後の内部の抗争などで運動が停滞した中で、ベサントは自治権を求める運動の中心に躍り出て、「全インド自治同盟」を結成した（一九一六）。翌年には逮捕にも動じなかったことから、人々の支持を得て、一九一七年十二月には国民会議派議長に選出された。何と、外国人、それも植民国の女性がナショナリズム運動のリーダーとなったのである。

ベサントは、神智学に入る前には、社会運動家として活動していたから、このような政治活動も不自然ではないが、インドの場合、特に、このような霊性的な運動と政治的なナショナリズムは密接に関わっていた。そのことは、インド解放の英雄ガンディーに関してもいえる。ガンディーは、ロンドン留学中から神智学に接近し、当時勢力を拡大しつつあった霊性的な運動と深い関わりを持っていた。その後、南アフリカでのインド人差別に対する抗議運動で一躍名を上げたが、その過程で独自のヒンドゥー主義を身に付けるようになっていった。その中で、次第に神智学から離れるようになり、一九一五年にインドに帰国した後は、ベサントの方針と対立するようになっていた。

エリート主義と協調路線の限界

その後、ベサントは急速に自治権運動、独立運動の中で勢力を失い、それに代わってガンディーが運動の中心になっていく。ガンディーについてはこれ以上立ち入らないが、その政治的活動が、宗教的、霊性的な活動と完全に一体化しているところにその特徴がある。その点では、対立したベサントを見事に受け継いでいた。インドでは、そのような霊性的活動によってはじめて民衆の中に定着することができた。それがインド的な風土というものであるのかもしれない。ベサントの限界は、結局エリート主義的であるとともに、英国との協調路線を出られなかったところにあり、それを超えたところにガンディーの成功があったということであろう。

しかし、それと同じことが日本で成功し得るかというと、おそらく難しいであろう。霊性のあり方はそれぞれの文化、民族で大きく異なる。日本には日本なりの霊性的な活動が連綿と続いてきたことは、本書でこれまで論じてきたとおりである。それを封ずるのではなく、それを生かすところにこれからの日本のあるべき方向があるのではないだろうか。最終章ではそのことをいささか論じて、今後の日本を、そして世界を考えていくために、多少のヒントを提供できればと考えている。

10章 理想を呼び起こす
——ポスト近代に抗して

1　憲法を考える

本書の最初に提示したのは、今日のポスト近代の状況の確認と、その中でいったい私たちにどのような道があるのかという問題であった。近代の普遍主義が崩壊する中で、ポスト真実といわれるように、もはや自己合理化の理屈さえなく、ただ力による自己主張と自己拡張がすべてとなりつつある。その中に呑み込まれるしか道はないのであろうか。

そこで従来の普遍性に代わって、新たに自己の障碍《しょうがい》となる他者という問題が浮上する。他者は生きている相手とは限らず、死者や神仏とも向き合わなければならなくなった。ところが、その探究の中で、意外にもこれまで隠蔽されてきた近代の新しい面が浮かび上がってきた。合理主義によって消し去られたかのように思われていた霊性的な理論や活動が、じつは十九世紀以後活発化して大きな潮流となり、そこには欧米だけでなく、アジアの智慧も合流していた。

そこでその目で見ると、一見奇妙に見える日本国憲法前文の「普遍」が、じつは近代啓蒙の普遍性ではなく、十九世紀以来の霊性的普遍主義の系譜を引くのではないかと考えられるようになった。とりわけユネスコ憲章前文との近似は顕著であり、直接の影響関係もあり得たし、もしそこまでいえなくとも、少なくとも共通の霊性的普遍性の立場に立つものと見ることができる。憲法前文だけ取り出すと、いかにも唐突に「普遍」がいわれるようであるが、その系譜が理解できれば、それが大きな世界的な流れにつながっていることが明らかになる。それは、まさしくグローバルな場に日本を引き出すものであり、ユネスコの理想が今日にも色褪せないとすれば、憲法前文も同じように今でも通用するものであろう。

にもかかわらず、そこにためらいを覚えるのは、その前文はいわばどの国にも通用するような文であって、日本だけに限る内容ではないからである。まさしく、「いづれの国家も、自国のことのみに専念して他国を無視してはならない」のであって、それは日本だけの問題ではないはずだ。普遍性だけあって、その国固有の問題が一切ない国などあるはずがない。

居心地の悪いところに置かれた主権在民

実際に憲法本文を見ると、第一条から第八条までは天皇に関する条項である。当然ながら、憲法の最初に規定されるのは、その国にとっていちばん重要な問題のはずだ。それなのに、そのいちばん重要なはずの問題が、前文では一言も触れられていない。もちろんこれは大日本帝国憲法（明治憲法）冒頭の「大日本帝国ハ万世一系ノ天皇之ヲ統治ス」に始まる天皇条項を骨抜きにしながら生かすという、わけの分からない妥協の産物であることは誰もが知っている。

もし日本国憲法のいちばんの柱が主権在民ということであるならば、まずそのことを謳わなければならないのに、第一条は、「天皇は、日本国の象徴であり日本国民統合の象徴であつて、この地位は、主権の存する日本国民の総意に基く」というのであって、唐突に「主権の存する日本国民」と、いかにも主権在民は居心地の悪いところに置かれている。もし第一条が天皇から始まるのであれば、前文にも何かそれについて触れていなければおかしいだろう。

もう一つ、前文の問題は、確かに戦後直ちの時代には通用したかもしれないが、はたして今日そのまま通用するかというと、疑問がある点である。ユネスコのような国際機関が、「心の中に平和のとりでを築こう」というのであれば、それは今でも、世界へ向けての呼びかけとして通用する。しかし、日本がいかに「平和を愛する諸国民の公正と信義に信頼して」といっても、それだけ信頼できる「平和を愛する諸国民」が今日どれだけあるであろうか。大国が相互に覇権を争い、世界中がその争いに巻き込まれる中で、どの国の「公正と信義」が信頼できるであろうか。ここでも、憲法前文は、世界の理想を掲げてはいるものの、実際の日本のあり方というところになると、思考停止状態になってしまうのである。

天皇の国家

ここで、対比上、明治憲法の場合を見ておく必要があるだろう。明治憲法は、明治二十二(一八八九)年に発布されたが、明治の新体制に移ってから、二十年もかけての試行錯誤の末にようやく成立している。それに対して、戦後憲法のほうは敗戦からわずか一年ででき上がっている。その準備にあまりに差がありすぎる。もっとも、用意周到の明治憲法が半世紀余で崩壊したのに対して、戦後憲法は四分の三世紀も生き延びているのは皮肉である。

明治憲法には、前文のさらに前に告文《こうもん》と勅語がある。告文で、まず「皇祖皇宗ノ神霊」に憲法制定が「皇祖皇宗」の道を盛んならしめるためであることを申し上げて、祖霊の許しを得るという行為から出発している。憲法制定は、まずはそのような宗教性を持った行為であり、そこではじめて勅語として臣民に語りかけた上で、総理大臣を代表として臣民が拝受するという重層的な「場所」で成立している。

明治憲法は、外向けには欧米の先進国に負けない立憲君主国の成立を意味したが、その核心においては、当然ながら「普遍」の要素は排除されていた。勅語にはこう述べられている。

朕我カ臣民ハ、即チ祖宗ノ忠良ナル臣民ノ子孫ナルヲ回想シ、其ノ朕カ意ヲ奉体シ、朕カ事ヲ奨順シ、相与ニ和衷協同シ、益々我カ帝国ノ光栄ヲ中外ニ宣揚シ、祖宗ノ遺業ヲ永久ニ鞏固ナラシムル。(朕の臣民たちは、朕の祖先たちの忠実な臣民の子孫であることを回想し、朕の意を奉り、朕の事業に従順で、ともに共同して、ますます我が帝国の光栄を内外に宣揚し、我が祖先の偉業を永久に強固ならしめる。)

有史以来、臣民は天皇に従順に従ってきたのであるから、ますます天皇を助けて帝国の光栄を内外に示さなければならない、というのである。ここには、天皇の国家であるという特性を持つ日本が、いかにその「国体」の長い歴史を維持してきて、それを今後も発揮していかなければならないかということが述べられ、憲法もその中に位置づけられている。戦後憲法が、同時代的な世界に目を向けて、時間・歴史という方向性を見失っているのに対して、ここではまったく逆に、歴史の継続という面で憲法を捉えて、同時代的な世界に目を閉ざしているのである。こうした流れの中に、2章で取り上げた『国体の本義』なども出てくるのである。

そこでは、憲法がいちばんの根本原理ではなく、それは天皇と臣民の歴史の中の一コマとして相対化されている。不変の根本原理は天皇と臣民の関係であり、それが文明開化の時代には、欧米と同じような憲法という形を取ることになったというのである。即ち、憲法は「国体」のすべてではなく、その一部なのである。

このことは、美濃部達吉の提起した天皇機関説問題とも関わる。天皇は、憲法の文面を読む限り、そこで規定される存在であり、確かに国家の一機関ということができる。それ故、天皇機関説はほぼ学界の定説に近い理論となっていた。しかし、そのことはあくまでも天皇を憲法という枠の中で理解した限りであり、憲法自体がより大きな枠組みの中で相対化されるのであれば、天皇は憲法の規定を超えた存在となる。

そこで、明治国家は憲法で捉えきれない天皇のあり方を、別の形で「臣民」に対して示した。一つは教育勅語であり、天皇への忠の道徳の原理が小学校から徹底して叩き込まれる。もう一つは国家神道である。国家神道については、その定義や成立時期に関して議論があるが、ひとまず明治三十三（一九〇〇）年に、内務省に宗教局と神社局が別立てされ、神社行政が他の宗教行政と切り離された時が、大きな画期となるであろう。

明治憲法体制崩壊の理由

国家神道の確立によって、日本中の神社は、天皇の祖先神であるアマテラスを祀る伊勢神宮を頂点として、国家祭祀の場とされ、自由な宗教活動を禁じられた。具体的には、布教活動はもちろん、葬儀も禁止された。国家＝天皇の祖先を祀るのが神社であり、「臣民」の祖先崇拝は仏教が担当するという重層的な神仏補完構造ができ上がる。それとともに、もともと多様であった日本神話と歴史が一元的に再編され、アマテラスの勅令を「万世一系」の天皇が継承するという筋書きで、すべての神話と歴史が書き直される。まさしく国の命運をかけての壮大なプロジェクトであった。

これだけ周到に準備され、作り上げられた明治憲法体制が、わずか半世紀余で崩壊したのはなぜであろうか。その一つの理由は、国内の「臣民」支配のために、あまりにがっちりとした体系の構築を目指してエネルギーを費やし、その中で近代化を急いだものの、内側で手いっぱいで、外の世界に向ける目を持てなかったところにあったのではないだろうか。それ故、自己の行動を外に対して普遍性を持つものとして説明することができなかった。欧米を真似た植民地政策はその強引さの故に国際社会の批判を招き、国際連盟を脱退して（一九三三）孤立し、敗戦必至の戦争へと追いやられることになったのである。

封じられてはならない憲法議論

戦後体制はまさしくその逆を行くことになった。戦争放棄という大義名分のもとに、国際紛争に巻き込まれることなく、米軍の基地として経済的に潤い、復興を果たして経済大国として世界に甦ることができた。それは確かに素晴らしいことではあった。しかし、そこには無理はなかったであろうか。過去を切り捨て、アメリカの顔色をうかがうことに終始するのが、はたして望ましい国のあり方であったであろうか。

今日、日本が大きな転換点に立っていることは間違いない。以前からくすぶっていた憲法改正問題が次第に現実の問題となりつつある。確かに急ごしらえで、押しつけとさえいわれるほどに主体性なく右往左往しながら作られた現行憲法の再検討は不可避であろう。先に見たように、前文を見ても、当時としての国際社会の平和の理想を掲げながらも、日本固有の問題への視点を欠いていた。

しかし、今日の憲法議論が、しっかりした意義ある議論になっているかというと、疑問である。自由民主党は、結党以来憲法改正を党是として、具体的な改憲案を提示している。その意欲は確かに評価されるべきであろう。けれども、その具体的な案を見ると、中途半端な戦前復古願望の表われで、到底今日受け入れられるものではない。その前文は、日本の自己賛美に終始し、「日本国民は、良き伝統と我々の国家を末永く子孫に継承するため、ここに、この憲法を制定する」と結んで、臆面もなく世界無視の明治国家返りを目指している。

ところで問題は、この自民党の案が唯一の改憲案であり、それに対して、いわゆる左派系の諸派は護憲主義を掲げて、そもそも憲法の議論そのものを封じようとしていることである。改憲対護憲という二項対立的な選択のいずれかの陣営に分類されなければならず、改憲といえば、自民党案以外にないのである。これはおかしいのではないだろうか。

明治憲法は結局欽定憲法として制定されたが、そこに至るまでには、自由民権運動の中で民間の憲法案も出されていた。戦後憲法起草時でさえ、GHQ案が唯一というわけではなく、憲法研究会などの案が出されていた。それなのに、今日これだけ問題が広く認識されるようになりながら、なぜ唯一の改憲案しかないのであろうか。

制定後、四分の三世紀にもなれば、そこに新しい問題が出てきて不思議ではない。環境問題にしても規定がないし、国民の権利は規定しながらも、国内在住の外国人のあり方など、規定が不十分であろう。そもそも憲法の理念を表わす前文が、そのままでは通用し難いことは、すでに述べたとおりである。憲法の議論が封じられてはならない。

試練の時代、日本人はどんな貢献をするか

それでは、どうしたらよいであろうか。これはまず採用される見込みのない空想といわれるかもしれないが、あえて提案してみたい。あと二十五年ほどで、憲法制定百年を迎える。そこで、その百年に当たる二〇四六年に新しい憲法を制定することにして、それまでの二十五年間に、そのための議論を広く起こし、さまざまな意見を求め、最終的にそれらの意見を集約する形で新憲法を制定するという案である。

すでに検討したように、戦後憲法は単なる政治的次元の法的規定に留まらず、そこには

霊性的な側面が入っていた。明治憲法もまた法的規定のうちに収まりきれない天皇という存在が中心にいた。それ故、憲法を単に政治や法的規定だけの問題として捉えるのは間違っている。これから、人類全体が大きな試練の時代を迎える。その中で、日本が、そして日本人が何をして、どのように貢献したらよいのか、それが問われている。

暗くて投げやりな未来ではなく、しっかりした見通しを持った希望に満ちた未来を築くための基礎の理念を、どのように考えたらよいのか。それが次の時代の憲法の課題である。政治的、党派的な対立ではなく、日本人みんながこれからの日本のあり方を考え、積極的に提言し、その中から立ち上がってくる新しい理念の形成がなければならない。そうでなければ、日本は結局はポスト近代の覇権争いの中で沈み込むだけになってしまうであろう。

2　霊性と国家

憲法そのものに世俗的な公共性だけでなく、それを超えた霊性的要素が入るとすると、政治という営みも純粋に世俗的な公共性の問題として片づけてよいかという疑問が生ずる。実際、前章に見たベサントやガンディーのインド独立の運動は、政治的でありつつ同時にきわめて霊性的な運動であった。今日のイランなどを見ても、政教一致の流れを無視することはできない。そうとすれば、今日常識となっている近代の政教分離原則も改めて検討し直す必要がありそうである。

現行憲法で、信教の自由と政教分離は第二〇条に規定されている。

第二〇条　信教の自由は、何人に対してもこれを保障する。いかなる宗教団体も、国から特権を受け、又は政治上の権力を行使してはならない。
②何人も、宗教上の行為、祝典、儀式又は行事に参加することを強制されない。
③国及びその機関は、宗教教育その他いかなる宗教的活動もしてはならない。

付則まで付いて、かなり複雑である。これを明治憲法と較べると、後者のほうがずっと単純である。

第二八条　日本臣民ハ安寧秩序ヲ妨ケス及臣民タルノ義務ニ背カサル限ニ於テ信教ノ自由ヲ有ス

ここでは、「安寧秩序」と「臣民タルノ義務」が「信教ノ自由」に優先するという条件が付いている。これは大きな問題であり、実際、国家の神話と異なる独自の神話を構築しようとした大本教は大弾圧を被った（一九三五）。その問題はひとまずおいて、両憲法を比べてみると、明治憲法は単純に信教の自由の保障であり、少なくとも文面上には政教分離の原則は入っていない。それに対して、現行憲法が複雑になっているのは、信教の自由に加えて、政教分離原則が入ってくることによる。付則もまた、政教分離と関わり、ほとんどダメ押しのような感がある。

なぜここまでダメ押しをしなければならなかったのか。それは明らかに「国家神道」への過度なまでの警戒である。とりわけ付則の②は、戦前の強制的な神社参拝などを念頭に、それを厳しく禁止している。だが、じつはこのような国家神道理解はおかしいところがある。なぜならば、「神道は宗教ではない」という神道非宗教論が、国家神道の原則だからである。神道は国家＝天皇の祖先崇拝であり、宗教ではないから、「臣民」がすべて従うべきものだという理屈である。それはそれで一貫している。

そこから見ると、現行憲法の規定は、「羹《あつもの》に懲りて膾《なます》を吹く」というか、いささか見当違いの感がある。戦後いち早く、GHQは神道非宗教の規定を欺瞞と見て、国家神道を、非宗教を偽装した宗教と理解し、「神道指令」（一九四五）において、厳しく禁じたのであり、それが憲法の規定に反映されたと考えられる。GHQは国家神道に対して強い警戒心を持っていたが、これは、欧米的なキリスト教モデルの「宗教」概念によって、それが人々の行動を規定する根本的な信念になると考えていたからである。しかし、実際には、すでに見たように、神仏は他者の第三層と見るべきものであり、キリスト教のような超越的な絶対神信仰とは性質を異にしている。

信教の自由の根拠

戦後、全国の神社を統括する神社本庁は、宗教法人となる道を選んだが、それでも、それが通常の「宗教」となるかどうか、不確かなところがある。そのことは、津市の地鎮祭訴訟などによって明らかにされた。これは、津市が市の体育館を建築する際に、神社の神官による地鎮祭を行ない、それに公費を支出したのが合憲か、ということで争われたものである。市側はそれを慣習的行事であって、宗教行事ではないとして、最高裁でその主張が認められた（一九七七）。しかし、判決に反対の少数意見が付いたように、宗教か慣習かの間には曖昧さがある。

そもそも「宗教」の概念は近代になって導入されたもので、明治憲法に信教の自由が認められるまでには紆余曲折があった。明治初期に神道を国教化しようとしたのに仏教側が抵抗し、教部省を設置して神仏を問わず国家公認の宗教者として教導職に採用する方針に転じた。ところが、教導職の教化内容である三条教則が「敬神愛国」など、神道に偏っていたために、浄土真宗系の諸派が反対して、失敗に終わる。その結果として、国が直接宗教に関与することを諦め、ここに信教の自由が認められることになった。

その反対運動を指導したのが島地黙雷だった。島地は欧米の宗教事情を視察して、近代的な宗教観と信教の自由、政教分離を学んだ。彼の主張の根本は、「政ハ人事ナリ、形ヲ制スルノミ。……教ハ神為ナリ、心ヲ制ス」(「三条教則批判建白書」、一八七二)というところにある。即ち、政治は外形的な問題に関わるのに対して、宗教は内面的な心の問題に関わり、両者は次元を異にするので、政治が心の問題に立ち入ることはできないというのである。それが信教の自由の根拠になり、同時に政教分離をも意味することになる。

個人の悩みを扱う仏教と非宗教化する神道

島地の論は、まさしく近代の信教の自由と政教分離の特徴をよく表わしている。そこでは宗教はあくまでも内面の信仰であり、儀礼や習俗を含まない。国家を相手にして、堂々と宗教の自立を宣言し、認めさせたのは大きな成果であった。しかし、そこには問題が残された。

第一に、現実の仏教は近世の寺檀《じだん》制度を変容しながら継承して、その経済基盤を死者供養に依存していた。その死者供養が実際には菩提寺と檀家というイエ単位の祖先崇拝である以上、それは純粋な個人の内面の信仰とは大きく異なっている。もちろん明治三十年代になり、日本の近代化がある程度軌道に乗ってくると、個人の悩みを救う近代的な信仰としての仏教が形成されてくる。しかし、イエ単位の死者供養、祖先崇拝は並行して持続するのであり、それを隠して表面だけで信教の自由を謳歌するのは、あまりに一面的にすぎるであろう。

もう一つの大きな問題は、神道の扱いである。島地は神道に関しては、八百万《やおよろず》の神を崇拝するような多神教は低級なものであり、「我ガ霊魂ヲ救済スルノ神ヲ信敬スルノ謂ニ非ズ」として、宗教と認めることを否定したが、かえって「皇室歴代ノ祖宗」を尊崇する世俗領域の問題として肯定することになった（「三条弁疑」など）。これは後の国家神道で確立する神道非宗教論に連なるものとなり、それを肯定する論理となった。

戦後、イエ制度の解体に伴い、死者供養や祖先崇拝に依存してきた仏教界は大きな打撃を受けて、今日変容しつつあるが、ここでは立ち入らない。ただ、このような経緯を見れば明らかなように、信教の自由や政教分離が前提とする個人の内面の信仰としての「宗教」概念は、必ずしも現実を反映したものではないことを確認しておきたい。まして、現行憲法の政教分離原則は、「国家神道」に対する警戒感から、公的な場から宗教や霊性的なものを厳しく排除しようとしてきた。そこには、戦後盛んになった進歩派の運動が、宗教を前近代の迷信と軽蔑し、甚だしきは唯物論の立場から「宗教はアヘン」と否定するような状況が続いたことも関係しよう。とりわけ公立学校での宗教教育が否定されたことは、宗教や霊性について子供の時から考える機会を奪うことになってしまい、甚だ問題は大きい。

しかし、今日の日本の政治情勢を見てみれば、政権与党である公明党が創価学会を支持母体としていることはもちろん、自民党の国会議員の多くが神道政治連盟（神政連）に関係している。もちろんそれは直ちに政教分離の原則に反するものではないが、それにもかかわらず、日本の政治が宗教ときわめて密接な関係を持っていることを示している。政教

中世の精神構造

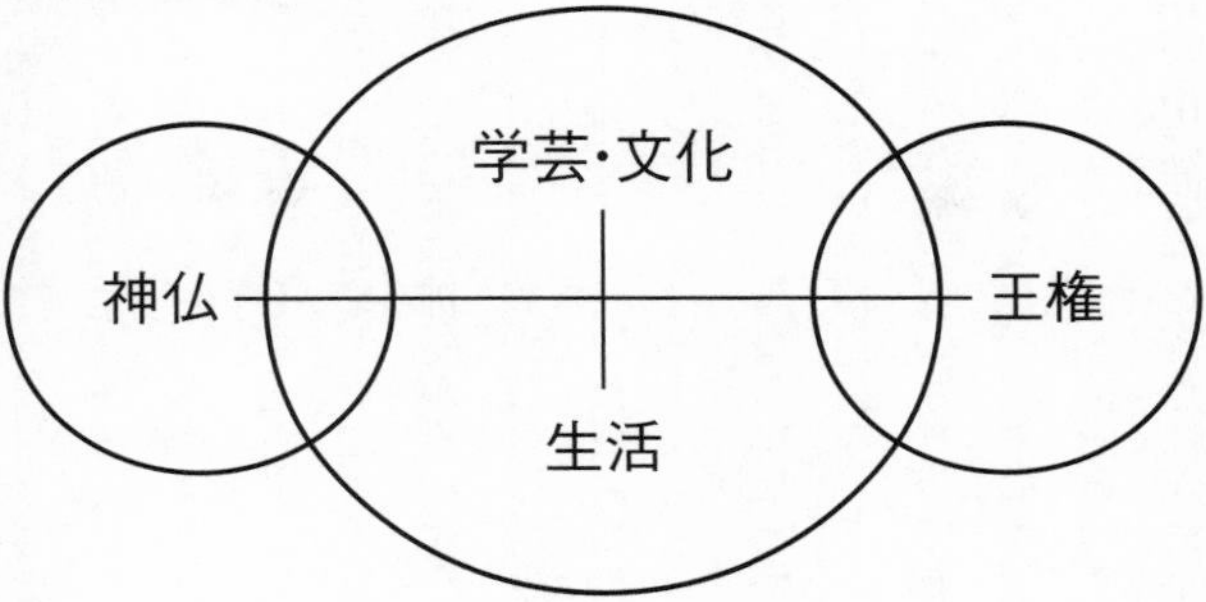

分離ということは、決して政治と宗教が無関係ということを意味するのではない。むしろ、今日のように、両者の関係を問題にすること自体をタブー化するのではなく、政教分離の上に立って、両者がどのようにより よい関係を持ち得るかを考えていくことはきわめて重要である。

最澄が作った王権と神仏の緊張関係

宗教や霊性と国家・政治との関係を考えるために、歴史を遡って、近代以前を考えてみよう。中世の日本においては王権と神仏（とりわけ仏教）とは、現実を動かす両極として緊張関係にあった。それは、西洋における王権と教会の関係にも似ている。そこでは、政教一致ではなく、むしろ政教分離ははっきりしているが、だからといって両者は無関係ではない。西洋の場合、国王（あるいは皇帝）の任命権は教会側にあるために、教会のほうが上位にあり、カノッサの屈辱（一〇七七）のようなことが起こり得た。

それに対して、日本では天皇は、確かに即位の際に即位灌頂《かんじょう》と呼ばれる密教的な儀礼が行なわれたが、必ずしも即位に不可欠というわけではなく、皇位は仏教によって正当化されることを要さなかった。天皇の正統性はその血統に求められ、中世には皇位をめぐる争いから、三種の神器が正統性を示すレガリアとして、その授受が大きな意味を持つようになった。逆に、大寺院に門跡として皇族が入るという慣例も生まれたが、それによって寺院が王権によって支配されたわけではなく、神仏の威力を根拠に王権と拮抗する力を発揮した。

このように、聖なる神仏と俗権である王権は異なる源泉を持ちながら、緊張感をもって協力するという構造になっていた。その構造は王法仏法相依と呼ばれるが、それは前頁の図のような形で表わされるであろう。二つの権力・権威が両極として緊張関係に立ち、その間に学芸・文化や人々の生活が成り立つのである。

このような王権と神仏との関係の基礎を作ったのは、平安時代の最澄《さいちょう》であった。入唐して比叡山延暦寺を拠点に天台宗を始めた最澄は、大乗の菩薩の精神に立って、どのように国家と関わることができるかを探究した。即ち、8章に述べた菩薩の倫理をどのように国家経営に関わらせることができるか、という壮大なプランを展開した。そのプランは『山《さん》家学生式《げがくしょうしき》』に示されているが、そこで最澄は、大乗の菩薩僧を養成するために、従来の戒に代えて梵網戒《ぼんもうかい》という大乗の戒を採用することを提案した。この戒は菩薩の精神を作るものとして、中国以来、在家者にも授けていた戒であり、出家者用の戒としては不十分なものである。ところが、最澄はそれを「真俗一貫」として肯定的な意味に取ったのである。即ち、出家者（真）と在家者（俗）がともに共通の大乗菩薩の理念をもって協力していくことを理想と考えたのである。

このような立場から、最澄は比叡山で菩薩僧を養成することを意図したが、その中で国宝・国師・国用《こくゆう》の別を立てた。国宝は理論・実践に優れた国の精神的指導者ともいうべきもので、比叡山にいて広い視野に立って全体を指導する。国師・国用は、それぞれの地域に遣わされ、教化活動を行なうとともに、国からの布施をも用いて、農地の開拓などの人々の生活を助ける。こうして世俗の王権に対応して、精神界の秩序を確立し、両者が協力して国家の安寧と人々の幸福を実現しようという大きな理想を掲げたのである。

政教分離で封印された議論

おそらくその発想の根底では、インドの転輪聖王《てんりんじょうおう》とブッダの関係がモデルとされているであろう。転輪聖王は、この世界を輪状の武器を使って統一する理想的な帝王であり、それに対応して、世界全体の精神界の指導者がブッダだというのである。両者が協力することで、精神界・物質界の両面にわたる理想的な世界が実現するというのである。

このような理想が最澄によって提唱されたのである。もちろんそれで直ちに理想社会が実現するわけではなく、政治も宗教も腐敗や挫折を繰り返すことになるが、ともかく両勢力が緊張関係に立つ構造は近世まで続くことになった。それは、少なくとも公共的次元とそれを超えた霊性的次元という二つの異なる次元の力が相互に牽制することで、互いに暴走を避けるという利点はあったと思われる。もう一つ注意されるのは、世俗権力の頂点に立つ天皇が日本という特殊な地域の権威であるのに対して、仏教側は普遍的な真理の実現に向かう点であった。仏法と天皇というセットは、普遍と特殊が一体化することでもあった。

ところが、明治になるとその両者が統合されて天皇の権力に一元化される。天皇は世俗権力の頂点であるとともに、霊性的世界のトップでもある。そのことによって、その暴走を防ぐ装置がなくなった。しかも、天皇は日本という特殊世界のトップであり、そこには普遍的世界への通路がない。制御のないままに、破滅に向かって突っ走ることになった。そして、敗戦後、今度は逆に特殊性に配慮しない普遍だけが主張されることになった。戦後憲法は霊性的な側面を持ちながらも、厳格な政教分離体制を取った。そこで実際には政治と宗教は密接に関係しながらも、その議論は表面的には封印されることになってしまった。

宗教や霊性的領域の出番

もちろん今日、中世的な王権と神仏の二項論を再び持ち出すのは、あまりに時代錯誤でしかないであろう。だが、今や民主主義もまた行き詰まった中で、単に多数決の民主主義ですべて決めてしまうのが最善なのかどうか、改めて検討が必要であろう。今日、政府はすべての決定権を自らの手に掌握しようとしている。日本学術会議の任命権も政府が手にして、学術界を従えようとした。ところが、コロナ禍は皮肉なことに、専門研究者の意見を聞かないわけにいかなくした。どんなに国民の支持を得て権力を握ったとしても、科学的な問題に関しては多数者のごり押しが通用せず、専門家の意見を重視しないわけにいかなくなった。

このように、政治が選挙で多数を得たという理由で、他の宗教や科学などの領域の助けなしに、それ自体で自立し得ると考えるのは間違っている。まして、その現世的権力をもって、あらゆる分野に力を振るい、すべてを決定できるという見方は、とんでもないことである。専門の研究者の意見を聞かなければならないことはもちろんだが、宗教や霊性的領域との関わりも、裏側に隠すのではなく、むしろ非常に重要な問題として、きちんと議論し、最善の道を選ぶ必要がある。

もし政治の論理に任せると、それはポスト近代的な状況の中で、力がすべてで、相互に敵対する構造の中に投げ込まれるだけである。それに理想を与え、長期的な希望をもたらすのは、宗教や霊性的な分野の仕事である。特殊性を考慮しながらも、他者との共存を願い、地球的、宇宙的な視野でものを考えていかなければならない。力で争って滅亡へと向かうのか、それともより広い視座に立って、未来へ向かって希望と理想を取り戻すことができるのか。その選択はすでに待ったなしの状態である。

3　日本からの発信

本書は、ポスト近代的状況から出発し、そこから他者論へと展開し、他者は決して単純ではなく、重層があることを示した。他者の領域を深めていくところから、死者や神仏の世界が明らかになり、そこに霊性的な領域が開かれることが知られた。その霊性的領域を根底にして考えていくと、近代が決して行き詰まって絶望しか残らないとはいえないことが分かってきた。最後に、憲法を手掛かりに考えてきた普遍と特殊の問題を、さらに具体的に、日本という場に即して考えてみたい。

明治のようにその特殊性に重点を置くにしても、戦後のようにその普遍性に重点を置くにしても、日本の近代は、欧米をモデルとして、その真似をし、追いつくことだけを目指して進んできた。苅谷剛彦のいう「追いつき型」の近代である。戦前には植民地競争にまで加わって挫折した。戦後は数量で測れる経済が何より目標であった。そして、ジャパン・アズ・ナンバーワンといわれていい気になり、欧米諸国から「いい子、いい子」と頭をなでてもらい、G7などの首脳会議に加えてもらって、大満足する。それが日本の求めてきたことだった。だが、その目標にひとまず達すると、もはや目標を失い、どこに向かっていけばよいのか分からなくなった。何とも情けないことである。「アジアではいちばん」が誇りだったのが、中国などが経済力を付けてくると、たちまちに無理を重ねた付けが回ってくる。

そして今や、ポスト近代の覇権主義の世界になると、さすがに軍事力でトップを争うこともできなくなった。それならば、強いアメリカさんの一の子分として、その後ろに付いていくのが何よりだ。沖縄を言われるままに提供し、大統領が代われば、いちばん先に首相が駆けつけて忠誠を誓う。涙ぐましいまでの忠勤ぶりだ。私はそれを「森の石松症候群」と呼ぶ。自分は弱くても、海道一の大親分の子分であることで、幅を利かそうというのである。

だが、それで本当にいいのだろうか。日本の進むべき道はそれ以外にないのだろうか。本書が問いかけてきたのはそのことだ。力ずくの覇権主義以外にも、もっと他の価値観があり得るのではないか。「美しい日本」というけれども、美しいところは世界中にたくさんある。にわかごしらえの底の浅い日本賛美は、たちまちにメッキが剝がれるだけだ。

私は、国際日本文化研究センター(日文研)という国立の研究所に数年間勤め、世界中からやってくる日本研究者のお相手をしたり、海外に出て行って日本研究の普及のお手伝いをしたりした。最近では、アニメやマンガを通して日本に関心を持ち、日本語を勉強して、日本に留学する若い人たちも少なくない。それはそれでとてもいいことだ。日本のマンガやアニメの優秀さは、誰もが目を見張る。それをクール・ジャパンとして広く認識してもらうことは素晴らしい。けれども、はたして日本で価値があるのは、それだけだろうか。

日本の思想伝統と日本人としての感覚

もう一つ注意されるのは、日本の発展が頭打ちになり、中国の成長が著しくなると、世界の日本研究者の数が少なくなって、その分中国研究者が増えていることだ。大学などでも日本研究を中国研究に衣替えするところが少なくない。そこには、もちろん中国が強力な宣伝を行なっているということもあるが、実際に経済力でもそれだけ差が付いてきているということでもある。もっとも国の大きさや人口を考えれば、それも当然というところもあろう。それだけに、金や力だけではない、日本の本当の魅力がどこにあるのか、しっかり考える必要がありそうだ。

日本人の日本人論好きということはよく知られている。近年さすがに以前ほどは見かけなくなったが、一時は、『〇〇の日本人』というような本が書店に山積みされていた。それは、本当の意味での自己認識というよりは、急速に「追いつき型」の近代化にのめり込む中で、少しでも不安を和らげ、とりあえずの自己のアイデンティティを保証してくれる言葉が欲しかったからに他ならない。しかし、そのような時代は過ぎた。もっと地に足の着いた自己認識が、まず必要ではないだろうか。

本書をお読みいただいた方は、そこで西洋近代をも考慮しながら、できるだけ日本の思想伝統と日本人としての感覚に基づいて、哲学的な問題を考えようとしてきたことを理解していただけるであろう。近年、日本哲学が海外でも次第にまじめに考えられるようになってきた。もちろん京都学派のように、西洋の哲学を受容して形成された近代日本の哲学であれば、それを「日本哲学」と呼んでも問題ない。しかし、伝統的な日本の思想をどこまで「哲学」と呼ぶことができるかは、かなり問題が大きい。

近世までは、「哲学」も「宗教」も、そのような範疇はなかったし、もちろんそのような意識はなかった。それを欧米から輸入した近代的な概念で捉えようとするならば、そこに無理があることは当然である。そのことを前提とした上で、それでも今日では、「哲学」の概念を拡張することで、伝統的な日本思想をも含めて「日本哲学」として捉えようとする傾向が強くなっている。3章で挙げたトマス・カスリスは、そのような「日本哲学」研究を先導してきた一人だった。

東西融合の智慧を求める

本書はあえて「哲学」を定義してこなかった。しかし、ここまで読んできていただければ、それが西洋由来の「哲学」とある程度共通しつつも必ずしも一致せず、それでも「哲学」と称することがそれほど不自然でないと、納得していただけるであろう。あえて従来無視されてきた神智学を大きく取り上げたのは、西洋の枠の中でも狭義の「哲学」では収まりきらない、東西融合の智慧を求める志向があることを受け止め、生かしたかったからである。もし「哲学」をあえて定義するとすれば、世界観・人間観を、行為や実践のレベルから知のレベルに投影し、反省し、理解しようとする営み、とでもいうことができようか。

そう捉えることが許されるならば、日本の伝統思想もまた、哲学の枠組みの中で新しい目で見直し、活用することも可能となるのではないだろうか。死者や神仏の問題は、日本の伝統の中で親しまれてきた。それを哲学として捉え直すことで、きわめて特殊な日本的な発想と思われていたものが、かえって従来普遍的と思われてきた「哲学」を反省し、捉え直す手掛かりとなるのである。それ故、哲学は単純に普遍的とはいえないことになる。だからといって、特殊なものが特殊なままで終わるわけでもない。特殊なものがより広い世界に開かれることで、普遍と特殊という二項対立が揺らぐことになる。

さまざまに相違する世界観・人間観を重ね合わせることで、他者を単純に同化したり排除したりするのではなく、相違を認めながら、相互理解を深めていく道を探ることができるのではないか。それは、近代的な普遍の中にすべての相違を解消してしまうのとも異なり、かといって、ポスト近代的に他者を排除した優越を力で確立しようというのとも異なる。自己認識が他者理解に通ずる道を切り開いていくのである。

心の中に幸福の花を咲かせられる国

今や日本は焦って「先進国」であろうとする必要はない。国家の規模を考えれば、むしろ欧米の先進国よりも一歩遅れたところで、アジアの一国として自らの道を進むべきではないだろうか。日本は中国という巨大文明の近くにあり、その圧倒的な影響を受けながら、島国という利点を生かして、その侵略を防ぎながら、独自の文化を成熟させてきた。もう一度その原点に立ち返り、豊かな内面の文化を花咲かせるべきではないだろうか。

大国でなければ何もできないというのは、大きな偏見である。二〇二〇年には核兵器禁止条約の批准国が五十箇国に達し、二〇二一年一月に発効した。その中にはいわゆる「大国」は含まれず、核保有国も含まれない。「唯一の被爆国」である日本は、アメリカの顔色をうかがって批准せず、それどころか核保有国が入らない条約は何の実効性もないと、否定する側に回った。だが、これはきわめて愚かな態度ではないだろうか。逆に、核を持った大国ではなく、中小の国々が集まることで大きな国際条約を成立させたのであるから、きわめて快挙であり、従来の大国中心主義を崩すきっかけとなる出来事ともいえよう。

何でも強者の後ろに付いて歩くことで、自分も威張れると思う「森の石松症候群」はもうやめようではないか。自分の力で考え、信念を貫いて行動することこそ、大事ではないか。そのためにも自己の世界観・人間観を十分に反省し、議論し、「哲学」をしっかり確立していくことは不可欠である。大国でも先進国でもなくてよい。物質的な幸福ではなく、人々が心の幸福に満たされた国こそあるべき国の姿ではないだろうか。長い歴史と伝統を踏まえながら、心の中に平和のとりでを築き、心の中に幸福の花を咲かせられる国、それこそが日本が目指す理想ではないだろうか。

ユネスコ憲章前文には、こう述べられている。

政府の政治的及び経済的取極のみに基く平和は、世界の諸人民の、一致した、しかも永続する誠実な支持を確保できる平和ではない。よって平和は、失われないためには、人類の知的及び精神的連帯の上に築かなければならない。

「知的及び精神的連帯」をなし得るだけの内実を私たちは持っているであろうか。「政治的及び経済的」側面にばかり偏ってきた過去を、いま私たちは深く反省しなければならない。

あとがき

近代の価値観は崩壊し、理想や希望を失って、弱肉強食のポスト近代へと突入している。私たちはその状況に身を任せるより他に道はないのか。それが私にとっての最大の問題だった。その中で、はたして近代は本当にすべて終わったのかと疑問に感ずるようになった。近代の中で、無視され、抑圧され、いじめ抜かれながらも、それでもしぶとく根を張り、生き抜いてきた異なる発想、もう一つの近代があったのではないか。それを発掘することで、ポスト近代のニヒリズムに抗しつつ、理想や希望を取り戻すことができるのではないか。それが死者や霊性の問題であり、具体的には神智学や仏教の流れである。

その発想は、私自身が考えついたというよりも、まさしく大いなるものからの贈与として与えられたものである。次々と贈られてくる神聖で豊饒な、言葉にならない言葉に身を浸し、酔いながら、それを私の乏しい能力でどれだけ公共的な言葉に翻訳し、整理し、読者に分かってもらえる一冊の著作としてまとめることができるのか。この数箇月は、ひたすらその苦痛と喜びに明け暮れしてきた。

もともと私は仏教学を専攻し、日本仏教のごく狭い範囲の研究に専念してきた。ところが、ある時期から、その日本仏教の思想が、意外にも従来の哲学に欠けていたきわめて新鮮な発想に富むことに気が付き、無謀にも哲学の分野に挑むことになった。その成果は、さまざまな試行錯誤の末に、『冥顕の哲学1 死者と菩薩の倫理学』（ぷねうま舎、二〇一八）、『冥顕の哲学2 いま日本から興す哲学』（同、二〇一九）にまとめ、それで一段落したと思っていた。

しかし、その後、「横の会」と称して議論を交わしてきた友人たちと、座談会を中心とした『死者と霊性――近代を問い直す』（岩波新書、二〇二一）を編集刊行し、その議論の中で、神智学を中心として、もう一歩進んだ思索が可能ではないか、と思うようになった。それが本書に結実した。タイトルが似ているのは、そのような経緯があるからである。

朝日新聞出版の中島美奈さんから、新書で何か書かないかとお誘いいただいてから、もう五、六年になるだろうか。その間、何度か企画を出しては、自分でも納得できずに引っ込めることが続いた。辛抱強く待っていただいた挙句、新書としては分厚く、内容も重い一書となったが、あえてそれを出してくださる英断に感謝したい。小見出しやルビなど、読みやすい工夫は中島さんの手になるものである。なお、引用、言及した文献については、基本的に刊行年のみを記した。それ以上のデータは、ネットで容易に調べられるであろう。

本書ができるまでには、「横の会」の友人たちの他、二〇一九年に設立した未来哲学研究所の関係者の方々、その他のいくつかの研究会からも得るところが多かった。なお、ＪＳＰＳ科学研究費助成金課題番号JP19H05476（代表・中谷英明氏）、及びJP20H01192（代表・守屋友江氏）の研究分担者としての成果の一部を含んでいる。

願わくば、軽小な今日の文化と正反対な本書に食らいついてくださる読者が一人でも多からんことを。

令和辛丑歳初冬　　　　　　渡水庵寓居にて

末木文美士《すえき・ふみひこ》
1949年、山梨県生まれ。東京大学大学院人文科学研究科博士課程修了。博士（文学）。東京大学名誉教授、国際日本文化研究センター名誉教授。専門は仏教学・日本思想史。仏教を含めた日本思想史・宗教史の研究とともに、広く哲学・倫理学の文脈のなかで現代に生きる思想としてのあり方を模索。近刊の編著に『死者と霊性』、著書に『日本思想史』『冥顕の哲学』1・2、『仏典をよむ』『日本仏教史』など多数。

朝日新書
848

死者と霊性の哲学

ポスト近代を生き抜く仏教と神智学の智慧

2022年1月30日第1刷発行

著　者　末木文美士

発行者　三宮博信
カバーデザイン　アンスガー・フォルマー　田嶋佳子
印刷所　凸版印刷株式会社
発行所　朝日新聞出版
〒104-8011　東京都中央区築地5-3-2
電話　03-5541-8832（編集）
03-5540-7793（販売）

Published in Japan by Asahi Shimbun Publications Inc.
ISBN 978-4-02-295158-8
定価はカバーに表示してあります。

落丁・乱丁の場合は弊社業務部(電話03-5540-7800)へご連絡ください。
送料弊社負担にてお取り替えいたします。

60歳からの教科書
お金・家族・死のルール

藤原和博

60歳は第二の成人式。人生100年時代の成熟社会をとことん自分らしく生き抜くためのルールとは？〈お金〉〈家族〉〈死〉〈自立貢献〉そして〈希少性〉をテーマに、掛け算やベクトルの和の法則から人生のコツを説く、フジハラ式大人の教科書。

頼朝の武士団
鎌倉殿・御家人たちと本拠地「鎌倉」

細川重男

実は〝情に厚い〟親分肌で仲間を増やし、日本史上・空前絶後の万馬券〝平家打倒〟に命を賭けた源頼朝、北条家のミソッカスなのに、仁義なき流血抗争を生き抜いた北条義時、二人の真実が解き明かされる、2022年NHK大河ドラマ「鎌倉殿の13人」必読書。

どろどろの聖書

清涼院流水

「世界一の教典」は、どろどろの愛憎劇だった⁉ 今、世界を理解するために必要な教養としての聖書、超入門編。ダビデ、ソロモン、モーセ、キリスト……誰もが知っている人物の人間ドラマを読み進めるうちに聖書がわかる！ カトリック司祭 来住英俊さんご推薦。

京大というジャングルでゴリラ学者が考えたこと

山極寿一

ゴリラ学者が思いがけず京大総長となった。世界は答えのない問いに満ちている。自分の立てた問いへの答えを探す手伝いをするのが大学で、教育とは「見返りを求めない贈与、究極のお節介」。いまこそジャングルの多様性にこそ学ぶべきだ。学びと人生を見つめ直す深い考察。

朝日新書

防衛省の研究
歴代幹部でたどる戦後日本の国防史

辻田真佐憲

2007年に念願の「省」に格上げを果たした防衛省。15年には集団的自衛権の行使を可能とする「安全保障関連法」が成立し、ますます存在感を増している。歴代防衛官僚や幹部自衛官のライフストーリーを基に、戦後日本の安全保障の変遷をたどる。

いつもの言葉を哲学する

古田徹也

哲学者のウィトゲンシュタインは「すべての哲学は「言語批判」である」と語った。本書では、日常で使われる言葉の面白さそして危うさを、多様な観点から辿っていく。サントリー学芸賞受賞の気鋭の哲学者が説く、言葉を誠実につむぐことの意味とは。

となりの億り人
サラリーマンでも「資産1億円」

大江英樹

ごく普通の会社員なのに、純金融資産1億円以上の人が急増中。元証券マンで3万人以上の顧客を担当した著者は、共通点は「天引き習慣」「保険は入らない」「ゆっくり投資」の3つだと指摘。今すぐ始められる、再現性の高い資産形成術を伝授！

他人をコントロールせずにはいられない人

片田珠美

他人を思い通りに操ろうとする人、それをマニピュレーターという。うわべはいい人である場合が多く、他人の不安や弱みを操ることに長けている。本書では具体例を挙げながら、その精神構造を分析し、見抜き方や対処法などについて解説する。

朝日新書

死者と霊性の哲学
ポスト近代を生き抜く仏教と神智学の智慧

末木文美士

「近代の終焉」後、長く混迷の時代が続いている。従来の思想史や哲学史では見逃されてきた「死者」と「霊性」という問題こそ、日本の思想で重要な役割を果たしている。19世紀以降展開されてきた神智学の系譜にさかのぼり、仏教学の第一人者が「希望の原理」を探る。

宇宙は数式でできている
なぜ世界は物理法則に支配されているのか

須藤　靖

なぜ宇宙は、人間たちが作った理論にこれほど従っているのか？　ブラックホールから重力波まで「数学的な解にしかすぎない」と思われたものが、技術の発展によって続々と確認されている。神が仕組んだとしか思えない法則の数々と研究者たちの探究の営みを紹介する。

防衛事務次官　冷や汗日記
失敗だらけの役人人生

黒江哲郎

防衛省「背広組」トップ、防衛事務次官。2015年から17年まで事務次官を務め南スーダンPKO日報問題で辞任した著者が「失敗だらけの役人人生」を振り返る。自衛隊のイラク派遣、防衛庁の省昇格、安全保障法制などの知られざる舞台裏を語る。